考えすぎない練習

Don't Believe Everything You Think

Why Your Thinking Is the Beginning & End of Suffering

ジョセフ・グエン 著
矢島麻里子 訳

Discover

無条件の愛とは何か、
それが世界をどのように変えるかを私に教えてくれた地上の天使、
ケンナに捧げる

謝辞

はじめに、シドニー・バンクスに謝意を表します。あなたが見いだした原理を世界に共有してくれたことに感謝します。私が自分の中に真実を見つけ、今こうして世界に発信する機会に恵まれたのは、あなたのおかげです。

私の人生を永遠に変えた「3つの原理」を教えてくれた私の教師でありメンターのジョー・ベイリーとマイケル・ニールにお礼を言います。二人の寛大さと、与え続ける奉仕の心に変わらぬ感謝を捧げます。二人が人々のために行っていること、今後も行い続けるすべてのことに感謝します。

私の親愛なる友人と家族（母、父、アンソニー、ジェームズ、クリスチャン、ブライアン、ほか多くの友人たち）に対し、私が自分の神聖な力を見いだす手助けをしてくれたこと、本書の執筆を応援してくれたことに感謝を伝えます。あなたたちの誰が欠けても、本書が世に出ることはありませんでした。あなたたちだからこそ、私やこれから本書に出会う人々に計り知れない影響を与え、これから生まれてくる世代の人たちの人生をも変え続けるということを、心に留めておいてください。

そして、ケンナ、あなたは私が今まで出会ったなかで最も美しく快活な魂の持ち主です。真の無条件の愛というものが何かを教えてくれてありがとう。あなたという美しい存在を前にすると、私はいつも謙虚な気持ちになります。あなたが私や出会う人すべてに与える限りない愛の贈り物には、どれだけ感謝の言葉を尽くしても足りません。

はじめに

本書でわかることと、最大限の活用方法

本書は、あなたがずっと探してきたあらゆるもの、あらゆる疑問の答えを見つけるために書きました。これがとても大胆な発言だということは承知していますが、私が自信を持ってこう言う理由があなたにもすぐにわかるはずです。

本書を読んだ後、あなたは変化し、今までと同じ人ではなくなっているでしょう。「変化」こそが、たったひとつの「変わらないもの」です。成長は人生に必要なプロセスであり、本書を最後まで読んだら、あなたは避けられない変化を経験するはずです。

「気づかなければ変えられない、気づいたら変えるしかない」

――シェリル・サンドバーグ（元フェイスブック最高執行責任者）

あなたが誰であるか、どこの出身か、どんな経歴の持ち主か、何をしてきて何をしてこなかったか、どのような地位にいるか、お金持ちかそうでないか、火星人かそうでないかにかかわらず、本書を通してあなたは人生における心からの安らぎ、無条件の愛、完全な充実感、豊かな喜びを手に入れることができます。

「自分は例外だ」と思うかもしれませんが、そんなことはないと保証します。愛に境界線はありません。あなたが探している答えを見つけるために必要なのは、柔軟なマインドと意欲だけです。

そして、本書の内容を理解すれば、具体的な成果が得られます。

それは私がコーチングしているクライアントの多くが経験していることです。

たとえば、

- 収入の2~5倍アップ
- ビジネスの飛躍的な成長

- より深く協調的な人間関係の構築
- 長年の依存症の克服
- ネガティブな習慣の改善
- 健康・活力・エネルギーの向上

といった効果です。

本書で紹介する原理を理解した多くの人に、こうした奇跡が日々起きています。そしてこれは氷山の一角にすぎません。この原理を理解した人々が成し遂げたことの例を挙げていけば、本書の半分以上が埋まってしまうでしょう。

こうした「外的」な成果に触れるのは私の本意ではありません。それが本書の趣旨ではないからです。こうした物理的な成果は、人生における「経験の仕組み」を徹底的に理解すると得られるただの副産物です。

実際、**私たちがお金や人間関係の改善という外的な成果を望むのは、愛や喜び、安らぎ、**

充実感といった感情を味わいたいからです。物理的なものではなく、この感情こそが私たちが人生で心から求めているものです。

しかし、物理的な成果がこうした感情を与えてくれると私たちが思い込んでいるところに落とし穴があります。私たちが真に求めるのは、内面的な充実感なのです。

本書の目的は、あなたが内面ではすでに知っている真実を見いだし、こうした感情を見つけられるように導くことです。

自分の中にすでにある知恵を見いだす

それでは、本書の読み方について案内しましょう。

本書は情報を得るためではなく、知見《インサイト》を得るために読んでください。知見《インサイト》（知恵）は内面でしか見つかりません。人生で探し求めているものを見つけるには、自分の内面に目を向けて、自分の中にすでにある知恵を見いださなければなりません。すべての答えはあなたの心の奥にあります。

本書は、あなたが正しいところに目を向けるよう導くガイドにすぎません。探し求めているものは必ずどこかにあると望みを持ち続けているのは素晴らしいことです。なぜならそれは希望を持っているということだからです。希望がなければ何も手にすることはできません。

ですから、あなたが今ここで本書を読んでいるという事実は、あなたの信頼と勇気と強さの証しです。今心の中にある希望を持ってその道を歩き続ければ、あなたは間違いなく、探し求めているものを見つけられるでしょう。

本書にだけ真実が含まれているわけではありません。真実はすべての人の中に、すべてのものの中にあります。真実（精神的なもの）を見いだして体験するには、形あるもの（物理的なもの）のむこう側を見なければなりません。

本書にある言葉自体は真実ではありません。真実を指し示しているだけです。**あなた自身にとっての真実を見つけるために、言葉のむこうに目を向けましょう。**真実は理屈では説明できず、体験することしかできません。真実は感情の中にあるため、はっきりと言葉にはできないのです。

真実を見つけたいなら、言葉のむこうにある、感情に目を向けましょう。

真実を見つけた人の多くはその感情を、たとえばこのように言い表します。

- 完全な安らぎ
- 無条件の愛
- 圧倒的な喜び

最も身近でありながらなじみのない感情とも表現します。ようやく家に帰ったような感じです。そのような感情を探しましょう。そうすれば、すべてが明らかになります。

本書では、あなたが心の奥で知らないことは何も言いません。真実を体験すると、身近でありながらなじみのない感情を抱くのはそのためです。

頭を使って真実を見つけようとしてはいけません——それでは真実は見つかりません。理屈で解釈したとたん、真実を見失います。文章をひとつやふたつ覚えることで真実は見つかりません。それくらいなら子どもにもできますが、だからといって真実は理解できません。真実は「感情」としてもたらされます。その感情の中にあなたが探し求めている知恵と真実が見つかり、あなたを自由にするのです。それこそが、誰もが究極的に求めていることではないでしょうか。

私が本書の中であなたに明かすことは単純に思えるでしょう。単純すぎるように思えて、あなたの脳（エゴ、自我）がそれに抵抗するか、もっと複雑にしようとするでしょう。「こんなに単純なはずはない」と脳が考えるのです。

そんなときは、真実はいつも単純であることを思い出してください。複雑なものは、より小さく分解できます。真実は、それ以上小さな要素に分解できません。それが真実の真実たる所以です。真実が常に単純である理由はここにあります。**真実を見つけたいなら、単純なことに目を向けましょう。**

柔軟なマインドと、「真実を知ろう」という純粋な気持ちで本書と向き合ってください。そうすれば、あなたは探し求めてきたものをすべて見つけられるでしょう。

先へ進む前に、この場を借りて、あなたが本書を手に取り、時間を割いて私の言葉に耳を傾けてくださっていることに深く感謝申し上げます。時間や意識は、あなたが相手に与えられるきわめて貴重な生命力のひとつと言えるでしょう。そのような贈り物を私に、そしてあなた自身に授けてくださったことに感謝します。

愛と光を込めて

ジョセフ

CONTENTS

考えすぎない練習

Chapter 01

苦しみの根本原因を探る旅

人々は苦しみを手放すのに苦労する。
未知のものに対する恐れから、慣れ親しんだ苦しみから離れられないのだ
――ティク・ナット・ハン（僧侶）

本書で「苦しみ」と言うときは、肉体的な苦しみではなく、精神的・感情的な苦しみを指しています。そして実は、人生でどんなことが起ころうとも、精神的にも感情的にも苦しまずに済む方法はあるのです。

私たちが経験するすべてが頭の中のことであるとか、作り事であると言っているわけではありません。恐ろしい出来事や不幸な出来事は、常に人々の身の上に起きています。

しかし、**人生で多くの痛みを経験したとしても、苦しむかどうかは自分で決められるの**です。つまり、痛みは避けられなくても、人生で起こる出来事や状況にどう反応するかは

私たち次第であり、その反応の仕方によって苦しむか苦しまないかが決まるのです。

仏教では、人生でネガティブな出来事を経験するときは「二本の矢が飛んでくる」と言います。第一の矢が物理的に刺さると痛みが生じます。第二の感情の矢が刺さるとさらに激しい痛みが生じ、苦しみがもたらされます。

ブッダはこう説いています。

「人生において、第一の矢は必ずしも制御できるわけではない。しかし、第二の矢は第一の矢に対する私たちの反応である。第二の矢を受けるか否かは選択できる」

数年前にブッダのこの言葉を初めて聞いたとき、私はとまどいました。ブッダの言おうとしていることは理解できても、自分の人生にどう応用すればいいかわからなかったからです。「苦しむか、苦しまないか」という明確な選択肢を与えられたら、誰だって苦しまないことを選ぶと思います。

では、どうすれば苦しまないことを正しく選べるのでしょうか?

それが簡単にできるなら、苦しむ人など誰もいないでしょう。私の場合、苦しみがどこから生まれるのかを理解して、苦しみを元から絶つことができたのは、それから数年経ってからのことでした。

より良い自分になるための旅を始めてみると、問題を克服するのに役立つさまざまな教えや研究、手法に出会いました。私は数百とは言わないまでも数十冊の本を読み、心理学を学び、セラピストに会い、多くの思想的指導者《ソートリーダー》から話を聞きました。

習慣を変えようとして朝4時に起床し、食生活を改め、計画的で規則正しい生活を心がけました。そして、自分の内面にある影の部分を見つめ、パーソナリティタイプを調べ、毎日瞑想し、自然の中で自分の精神と対話する行事に参加し、精神的指導者《スピリチュアルマスター》の教えを取り入れ、さまざまな古代宗教を研究しました。

あなたが何を挙げたとしても、私はすべて試したことがあると思います。私は答えを見つけだそうと必死でした。自分の人生の苦しみを終わらせ、そして人の苦しみを終わらせる手助けをする方法が知りたかったからです。

私が試したことの一部は、ある程度状況を改善する役には立ちましたが、私の苦しみを終わらせることはありませんでした。私は相変わらず、いつも極度の不安や恐れ、不満、いら立ち、怒り、フラストレーション、重苦しさを感じていました。何を試しても答えが見つからず、正直なところ、こうした探求を始める前よりも途方に暮れていました。

私は目標も希望も方向性も見失ったように感じ、もう何をすればいいのか、どこを探せばいいのか、誰に相談すればいいのかわからなくなっていました。

そして、一番苦しい時期にようやく、かすかな希望が私を光の射す方へと導き始めたのです。

何年も答えを探し求めた後、私は突然、コーチになる方法を教えてくれた初期のメンターの一人に出会いました。そして彼は、どうすれば自分自身の苦しみを和らげることができるのか、答えを示してくれたのです。

その答えは、私たちの頭脳がどう働き、人の経験がどうつくられるのかを理解することにありました。

Chapter 02

すべての苦しみの根本原因

自分のまわりを見回す人は利口であり、
自分の内面を見つめる人は賢明である

——マッショーナ・ディリワヨ（作家・起業家）

私たちは現実の世界ではなく、「考え」によってつくられた世界に生きています。

哲学者シドニー・バンクスはかつてこう言いました。

「考えは現実ではない。だが、考えを通して私たちの現実はつくられる」

私たち一人ひとりが世界に対する自らの認識の中に生きており、その認識は隣にいる人と大きく異なっています。


たとえば、あなたが20～30代で人生に迷い、生きる意味を見失うようなクオーターライフ・クライシスのさなか、カフェに座っているとします。他の誰もが人生で何をすべきかわかっているように見えるのに、自分だけ何をすべきかわからないことに混乱し、大きなストレスを感じています。一方で、あなたの隣にいる人は、穏やかに人間観察をしながら、淹れたてのコーヒーを幸せそうに楽しんでいます。

あなたも隣の人も、同じカフェにいて、同じコーヒーの香りをかぎながら、同じ見知らぬ人たちに囲まれていますが、世界の見え方は大きく違っています。**私たちの多くは、同じ出来事を体験しても、同じ時間に同じ場所にいても、まったく異なる経験をしているのです。**

私たちが現実の世界ではなく考えの世界に生きていることを示すもうひとつの例を挙げます。

100人の人たちのところへ行って、一人ひとりに「あなたにとってお金が何を意味するか」と尋ねれば、何通りの答えが返ってくると思いますか？　ほぼ100通りの答えが返ってきます！

お金は厳密には同じものですが、それぞれの人にとって違う意味を持ちます。お金は、時間や自由、機会、安全、安心を意味する場合もあれば、悪や強欲、犯罪に手を染める理由を意味することもあります。ここでは、どれが正しくてどれが間違っているといった話はしません（正しい答えも間違った答えもありません。これについては別の章で扱います）。

この概念のもうひとつの例を挙げましょう。

１００人の人に現大統領についてどう思うか尋ねたら、何通りの答えが返ってくると思いますか？

同じ人物の話をしても、１００通りの答えが返ってくるのは、ほとんどの人が世界に対する自らの考えや認識の中に生きているからです。私たちがある出来事に与える意味や考えは、その出来事について私たちが最終的にどう感じるかを決定づけます。その意味や考えはフィルターであり、私たちはそれ以降そのフィルターを通して世の中を見ることになります。そのため、私たちは現実そのものの中ではなく、現実に対する認識の中で生きているのです。**現実とは、その出来事が起きた事実を指し、その出来事に与える意味や考え、受け止め方を含みません。**

私たちの現実に対する認識は、私たちがその出来事に与える意味や考えからつくられます。私たちの人生経験はすべてそうやってつくられるのです。

良い感情や悪い感情を引き起こす原因は、人生に起こる出来事そのものではなく、その出来事に対する私たちの受け止め方にあります。発展途上国の人々が先進国の人々よりも幸せであったり、先進国の人々が発展途上国の人々よりも不幸であったりするのはそのためです。

私たちの感情は外的な出来事から生まれるのではなく、その出来事に対する私たち自身の考えから生じます。そのため、私たちは自分が考えていることしか感じることができません。

仮にあなたが自分の仕事を心底嫌っているとしたら、多大なストレスや不安、フラストレーションを抱えるでしょう。職場の建物に足を踏み入れるだけで苦痛を感じ、仕事のことを考えるだけで腹が立ちます。仕事のことを考えていると、ソファに座って家族と一緒にテレビ番組を見ていても、怒りが湧いてきます。その隣で、あなた以外の家族はみんな楽しい時を過ごしています。

この瞬間、同じ出来事が起きているにもかかわらず、家族はあなたとは違う人生経験をしています。仕事を実際にしていなくても、仕事について考えるだけで、現実に対するまったく異なる認識がつくられるのです。

もし外的な出来事が内面での感じ方を決めるというのが真実なら、リビングで家族と面白いテレビ番組を見ながら過ごすときは、必ず楽しい気分でいられるはずです。しかし、実際はそうなりません。

外的な出来事、つまり仕事によってストレスや不安を感じているのだから、そう感じるのは仕方ないとあなたは言うかもしれません。それならば、自分のしている仕事について誰もがまったく同じように感じていると言えるでしょうか？

二人の人がまったく同じ仕事をすることはあっても、二人はその仕事を通してまったく異なる経験をしています。それは一方の人にとっては最高に素晴らしい経験であり、理想の仕事かもしれませんが、もう一方の人にとっては最悪の悪夢であり、生き地獄かもしれません。二人の唯一の違いは、その仕事についての考え方であり、それが最終的に仕事に対する感じ方を決めるのです。

では、仮にあなたが自分の仕事を嫌っているとしたら、という先ほどのシナリオに戻りましょう。仕事について考えるとき、ストレスや不安、フラストレーションをどれほど感じるでしょうか。

次の質問に答えることで、簡単な思考実験をしてみましょう。

Q. 「自分の仕事が嫌いだ」という考えを持たなければ、あなたはどうなりますか？

1分間時間をとって、何が頭に浮かんでくるか確かめましょう。それまでは先へ進んではいけません。

考えすぎずに、「仕事が嫌いだ」という考えを手放して、自分の内面から答えが浮かぶに任せます。すると、幸せで安らかな気持ちになり、自由で心が軽くなったと感じるでしょう。

特定の出来事や物事について、普段の考えを手放すと、そのことに対する私たちの経験は一変します。これが、私たちが現実の世界ではなく考えの世界に生きているということです。そして、現実に対する認識は完全に自分自身の考えを通してつくられるということなのです。それを理解すれば、私たち人間のあらゆる精神的な苦しみの原因を解き明かしたことになります。

苦しみの根本原因は自分自身の考えにある

あなたがこの本を放り投げてしまう前に、私たちの認識や感情がすべて思い込みだとか、実在しないと言っているのではないということを断っておきます。

私たちの「現実に対する認識」は間違いなく実在します。私たちは自分が考えること（思考）を感じるのであり、私たちの感情は実在します。それはまったく否定できません。

しかし、私たちの現実がどのようにつくられるか理解できるまでは、自分の考えというものが、避けることのできない現実のように思えるでしょう。

自分が考えていることしか感じられないとわかれば、自分の考えを変えることで感情を変えられるとわかります。つまり、経験が自分自身の考えから生じていると理解することによって、人生の経験を変えることができるのです。そして、もしそれが真実なら、私たちは頭を切り替えるだけで――**考えない状態を通して――いつでも異なる経験をし、人生を変えられるようになります。**

つまり、考えることをやめた瞬間に幸せが始まるのです。

若い僧と無人のボート

（考えることが苦しみの原因になることを示す禅にまつわる話）

昔々、ひとりの若い禅僧が、森の中の小さな湖のほとりにある小さな僧院に暮らしていました。

その僧院にはベテランの僧は数人だけで、残りはまだ修行すべきことがたくさんある新人でした。新人の僧には僧院内で多くの務めがありましたが、その最も重要な務めのひとつが日課の瞑想であり、新人の僧たちは1回につき数時間、座って目を閉じ、静かに瞑想しなければなりませんでした。

瞑想が終わるたび、新人の僧はその進捗を指導役の僧に報告しなければなりません。その若い僧はさまざまな理由から瞑想中に集中力を保てず、とてもいら立っていました。若い僧が進捗（進捗の欠如と言った方がいいかもしれません）を指導役の僧に報告すると、その年配の僧は若い僧に対して教訓を秘めた簡単な問いかけをしました。

「君を実際に怒らせているものが何かわかるかい？」

若い僧はこう答えました。

「ええと、私が目を閉じて瞑想を始めたとたん、いつも誰かが動き回って集中できないんです。私が瞑想しているのを知りながら邪魔してくるのでイライラします。なぜもっと配慮できないのでしょう？　そして、私が再び目を閉じて集中しようとすると、今度は猫や小動物がそばを通り過ぎて、また私の邪魔をするんです。もうこの時点で、風が吹いて木々の枝が音を立てるだけで腹が立ってきます。そればかりか鳥も鳴き続ける始末です。私がここで平静を保つのは無理なようです」

年配の僧は若い僧にこう指摘しました。

「君は邪魔が入るたびに怒りを募らせているようだね。これは瞑想の趣旨とは正反対だ。瞑想の最中に君の邪魔をする人や動物など周囲のものに腹を立てない方法を見つけるべきだね」

若い僧は話し合いの後、僧院を出て、落ち着いて瞑想できそうな、より静かな場所を探そうと周囲を見回しました。そして、近くの湖岸に良さそうな場所を見つけました。

若い僧は持参した敷物に座って瞑想を始めます。ところがその直後、すぐそばの湖面に鳥の群れがしぶきを上げて着水したのです。その音を聞いた僧は、何が起きているのか確かめようと目を開けました。

湖岸は僧院よりは静かでしたが、それでも自分の平静を乱すものが存在することに、僧はまた腹を立てました。自分が探し求めている平静は見いだせなくても、僧は湖に通い続けました。そしてある日、僧は小さな桟橋の先端に繋がれた一艘のボートを見つけました。そのとき、ある考えがひらめきます。

「そうだ、ボートで湖の真ん中まで行って、そこで瞑想するのはどうだろう？　湖の真ん中なら、私を邪魔するものはいないはずだ！」

僧は湖の真ん中までボートを漕いでいき、そこで瞑想を始めました。

期待したとおり、湖の真ん中には僧を邪魔するものはなく、一日中瞑想することができました。そして日が暮れると、僧は僧院に戻りました。これが2日間続き、ようやく安心して瞑想できる場所を見つけて、僧は大喜びしました。彼は怒りを感じることなく、静かに瞑想を続けることができたのです。

3日目、僧はボートに乗り込み、湖の真ん中まで漕いでいき、再び瞑想を始めました。その数分後、パシャパシャという水の音が聞こえて、ボートが揺れるのを感じました。

湖の真ん中にも自分を邪魔する人や物が存在したことに、僧は怒りを覚えます。

目を開けると、一艘のボートが向かってくるのが見えました。

「ボートを遠ざけろ！　私のボートにぶつかるじゃないか！」

と僧は叫びます。しかし、相手のボートは真っすぐに近づいてきて、わずか数メートルの距離までやってきました。僧は再び叫びましたが、状況は変わらず、そのボートはついに僧のボートにぶつかったのです。彼はカンカンになって怒鳴りました。

「いったい誰なんだ！　なぜこの広い湖の真ん中で私のボートにぶつかってくるんだよ！」

しかし、返事はありません。これが若い僧の怒りに拍車をかけました。


僧は立ち上がって、そのボートに誰が乗っているのか確かめようとしました。すると驚いたことに、**ボートには誰も乗っていなかったのです。**

ボートはおそらく風に流されて漂流し、たまたま僧のボートにぶつかったのでしょう。

僧の怒りは消えていきました。それはただの無人のボートで、怒る相手などいなかったのです！

その瞬間、若い僧は「君を実際に怒らせているものが何かわかるかい？」という指導役の僧の問いかけを思い出しました。そしてこう考えたのです。

「それは他人や状況や周囲の環境ではない。私の怒りの原因は、無人のボートではなく、それに対する自分の反応なのだ。自分を悩ませたり怒らせたりする人や状況はすべて、無人のボートのようなものにすぎない。**自分が反応しなければ、それ自体に私を怒らせる力はない**」

その後、僧はボートを漕いで湖岸に戻りました。そして僧院へ帰ると、他の僧たちと一緒に瞑想を始めました。相変わらずまわりに雑音や妨害はありましたが、僧はそれを「無人のボート」とみなして、穏やかに瞑想を続けました。年配の僧はその変化を見て、若い僧に一言こう告げました。

「君を実際に怒らせているものがわかって、それを克服したようだね」

Chapter

03

なぜ私たちは考えてしまうのか

私は考えに考えに考えて、考えた挙句に幸せを逃したことは百万回あるが、考えに考えて幸せを手にしたことは一度たりともない
――ジョナサン・サフラン・フォア（作家）

私たち人間は、ただ生き延びるのに役立つという理由で、合理的な理解力、分析力、思考力といった高度な能力を身につけるよう進化してきました。私たちの頭脳は私たちを生存させるために素晴らしい働きをしますが、その働きは私たちの心身の健康を助けるものではありません。それは安全と生存のみに関係し、充実感や喜びとは無関係です。

頭脳の仕事は、私たちの生命を脅かす危険について警告することにあります。頭脳は非常にうまくその働きをするため、身の回りに危険がないかを調べるだけでなく、過去の経験の蓄積を参照して仮想シナリオをつくり、記憶に基づいて、将来危険となりそうなもの

まで予測してしまいます。

それは決して間違ったことではありません。頭脳は設計通りに働いているだけです。しかし、その役割が私たちの生存を助けることだと理解していなければ、その働きによって怒りやいら立ちを覚えることになります。すべての葛藤はたわいのない誤解から生まれます。私たちの頭脳の役割は、私たちを生存させておくことです。私たちの意識の役割は、私たちが充実感を得られるようにすることです。そもそもあなたが自分自身の安らぎや愛、喜びを見つけるこの旅の途中にいるのは、あなたの心の働きによるものです。

頭脳はその本来の役割において素晴らしい働きをしてきましたが、私たちはもはや、茂みの中に死の危険が潜んでいるような野生生活をしているわけではありません。そのため、もうその役割から解放されてもよいはずです。

頭脳を使い続けていると、「闘争か逃走か」の状態が持続し、不安や恐れ、フラストレーション、憂うつ、怒り、憤りなどのネガティブな感情に常にとらわれることになります。頭脳はあらゆるものを私たちの存在そのものに対する脅威だと考えるからです。

もし自由や幸せ、安らぎを手に入れ、愛に満ちた状態でいたいなら、脳内の声だけに耳を傾けるのをやめて、生存だけではなく心身の健康を助けるもっと大きなものに意識を向ける必要があります。

Chapter 04

「考え（Thoughts）」と「思考（Thinking）」

考えるのをやめて、あなたの問題を終わらせることだ

——老子（哲学者）

「考え（Thoughts）」は、私たちがこの世のあらゆるものをつくりだすための「知的素材」です。それはエネルギーに満ちています。考えがなければ、私たちは何も経験できません。「考え」は名詞、つまり物の名前であり、私たちが「行っている」行為ではなく、「持っている」ものだと理解しておくことが重要です。

「考え」を持つのに労力はいりません。考えは自然に生じるものです。どんな考えが頭に浮かぶのかをコントロールすることもできません。考えの源は、私たちの理解を超えた存在からもたらされます。

一方、「思考（考えること・Thinking）」は自分の考えについて思考する行為です。思考するためには相当量のエネルギーや労力、（限りあるリソースである）意志力が必要です。思考するというのは、自分の頭の中の考えと積極的に向き合うことです。頭の中のすべての考えと向き合う必要はありませんが、考えと向き合えば、それは思考することになります。

「思考」は精神的な苦しみの根本原因

あなたはここで、ポジティブな考えというのはどこから生じるのかと疑問に思うかもしれません。ポジティブな考え、良い気分になる考えは、考えた結果生じるものではありません。安らぎや愛、喜びのある自然な状態から生まれます。これらは思考している状態ではなく、ただ存在する状態の副産物です。これについては次の章で詳しく掘り下げます。

ではここで、簡単な思考実験をしてみましょう。

私から質問するので、あなたはただ自分が経験していることに意識を向けてください。後で何が起きていたかを検証します。

Q. あなたが1年で稼いでみたい理想の金額はいくらですか？

ここで一呼吸置いて、答えが浮かんでくるのを待ちます。

約30〜60秒の時間をとって、1年で稼いでみたい金額に関する自分の答えについて考えてください。

稼いでみたい金額について十分な長さの考えがまとまるまで、次のステップに進んではいけません。

次に、最初に浮かんだ金額に5を掛けてください。

Q. 5を掛けた新しい「理想の年収」についてどう考えますか？

さらに30〜60秒以上の時間をとって、新しい理想の年収について思考するときに自分がどう感じているかを意識し、その感情を抱いている間に他にどんな考えが頭に浮かぶか確かめてください。

これらの作業を行うまで先へ進んではいけません。

オーケーです。それでは、最初に戻って何が起きたか検証してみましょう。

1年で稼いでみたい理想の金額に関する最初の質問をしてから数秒以内に、あなたの頭には答えが浮かびました。それは「考え」です。その考えがいかに素早く自然に浮かんできたかに注目しましょう。

答えが頭に浮かんだ後、私はあなたに自分の答えについて「考える」ようお伝えしました。自分の答えについて考えるよう私が伝えたとき、何が起きましたか？

あなたが大半の人と同じであれば、その答えについて考え始めたとたん、ジェットコースターのような激しい変化を経験したはずです。5を掛けた「新しい年収」について考えたときも同じでしょう。


「そんな大金を稼げるわけがない」

「家族の誰もそんな金額は稼いでいない」

「そんな大金を稼ぐ方法もわからない」

「そんな大金を欲しがるなんて愚かだし、そんなに稼いだら強欲になる」

――あなたはそんなふうに考えていたかもしれません。

こうした考えについてあなたが思考したときに、どう感じていたかに注目してください。あまり良い気分ではなかったはずですが、それでも構いません。あなたがこれに関してできることについては後で示します。


これが、「考え」と「思考」の違いを示す典型的な例です。

私が質問をすれば、あなたの頭には100％の確率で、ひとつの考えが浮かびます。

「考え」というのは、もともと悪いものではありません。前述のとおり、考えは、私たちがこの世のあらゆるものをつくりだすための知的素材です。そのことを思い出してください。

ただ、自分の考えについて考えた瞬間に、私たちは感情のジェットコースターに乗せられます。**自分の考えについて思考すると、私たちはその考えについて判断や批判を始め、あらゆる種類の感情的な苦しみを経験するのです。**

いくら稼いでみたいか尋ねたとき、その金額についての考えがあなたの頭に浮かびました。その考えは、感情的な苦しみを引き起こしませんでした。もしかしたらあなたは、開放的な気分になりワクワクしたかもしれません。自己不信や劣等感、不安、怒り、罪悪感など、あなたが経験したであろうネガティブな感情が生じたのは、いくら稼いでみたいかという考えについてあなたが思考し始めたときです。

思考することが私たちのすべての苦しみの根源だと私が言う理由はここにあります。いくら稼いでみたいかという当初の考えは、いくら稼いでみたいかという考えについてあなたが「思考」を巡らせるまでは、何の苦しみも引き起こしませんでした。

自分の「考え」について考えたり判断したりする必要はありません。それは私たちのためになりません。思考することは自分の役に立っていると思うかもしれませんが、実際は思考することによって、こうしたネガティブで好ましくない感情を抱き、なぜそれができないのか、なぜそれを望むべきでないのかという理由をこしらえてしまうだけなのです。

唯一役に立ったのは、私が最初にいくら稼いでみたいか尋ねたときにあなたの頭に浮かんだ最初の考えだけです。その後に考えたことはすべて破壊的で役に立ちませんでした。

「考え」は創造する、「思考」は破壊する

「思考」が破壊する理由は、私たちが「考え」について考え始めるやいなや、自分自身の窮屈な思い込みや判断、批判、指令、条件付けをその考えに投げかけ、なぜそれができないのか、なぜそれを手にすることができないのかという理由を無限に考えだすからです。

思考しなければ、あらゆるネガティブな指令や判断が、自分がつくりたいものについて最初に浮かんだ考えを台無しにしてしまうのを防げます。

もし私が「あなたの望む金額を稼げる方法は何か」と尋ねたとき、あなたがその場にじっと座っていられれば、その方法がふと頭に浮かんでくるという経験をすることでしょう。

これは創造につながる考えです。考えはもともと無限であり、開放的であり、前向きなエネルギーに満ちています。ポジティブな感情を抱き、心が軽く、生き生きとした気分でいるとき、神からの啓示のようなものを受け取っていることがあなたにもわかるはずです。

ところが、自分が望む金額を稼げる方法についてあなたが思考を巡らせたとたん、ネガティブな感情が一気に襲ってきて、たちまち気が重くなり、制約を課せられたように感じるでしょう。こうして、自分が思考しているかどうかを知ることができます。

私は、自分が宇宙から考えを直接ダウンロードしているのか、それとも自分の考えについて頭の中で思考しているのかを教えてくれる体内レーダーとして、自分の感情を利用しています。

あなたは自分が思考していることしか感じることができません。そのため、気持ちや感情は、自分が考えすぎているかどうかを教えてくれる直感的な指標のような役割を果たすのです。

ネガティブな感情を多く抱えている場合は、自分が考えすぎているとわかります。これは、私たち人間が生まれつき成功するようにできていることを示す例でもあります。

次に示すのは「考え」と「思考」を比較した表であり、あなたの頭の中にあるのはどちらかを見分けるのに役立ちます。

「考え(Thoughts)」と「思考(Thinking)」の比較表

属性	考え	思考
源	宇宙	自己
重さ	軽い	重い
エネルギー	開放的	制約的
性質	無限	有限
特性	創造的	破壊的
パワー	ポジティブ	ネガティブ
本質	神聖な力	人間の力
気分	活力に満ちている	ストレスに満ちている
感情	愛	恐れ
信念	無限の可能性	限定的
感覚	全体的	個別的
労力	不要	必要

Chapter 05

ポジティブな感情を持つには、ポジティブに考える必要があるか？

少し頭を切り替えるだけで、何も考えない状態から、安らぎや愛、喜びが手に入る

――ディッケン・ベッティンガー（心理学者）

私たちは考えていることしか感じることができません。この原則について、まだ説明していないことがあります。この原則をより正確に表現すると、考えているときにしかネガティブな感情は抱けないということです。

目標は、ネガティブな感情をまったく抱かないようにすることではありません。ネガティブな感情は、危機管理の面で役に立つものもあります。たとえば、視界に誰もいない暗

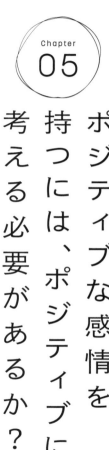

い路地を一人で歩くときに恐怖を感じるなどがそうです。

こうしたネガティブな感情は、生存の観点では役に立ちます。しかし大半の人にとっては、生死を分ける状況に絶えず晒されているわけではないため、役に立たないことの方が多くなります。

「肉体的生存を脅かされてはいない」という状況に基づいて話を進めるため、ここではネガティブな感情はほとんど必要ないという背景を用いていきます。

考えていることしか感じることができないという話をすると、大半の人はポジティブな感情を持つにはポジティブに考えなければならないと思い込みます。

これが真実かどうかを私が説明する代わりに、あなた自身で真実を体験できるように、もうひとつ思考実験をしてみましょう。

Q.人生で最上の喜びや愛を感じたときのことを思い出し、その瞬間に感じた気持ちをできるだけ多く、30秒以上かけて感じてください。

最上の喜びや愛を感じていた最高の瞬間に、どのような考えが頭の中を巡っていましたか？（そのときに何をしていたかではなく、その瞬間にどのような考えが頭の中を巡っていたかを尋ねています）。

この質問に答える多くの人が、その瞬間何の考えも巡っていなかったと振り返ります。それ以外の人は、とてもありがたいとか幸せだという考えを抱いたと言います。

それでは次の質問です。

Q. ありがたいという考えを抱いた場合、その考えを抱く前に喜びや愛を感じましたか？　それとも後に感じましたか？

先に進む前に、10～15秒かけてその質問に答えてください。

どのような知見やひらめきを得ましたか？

不思議なのは、人生最上の幸せや最大の愛を感じたときに、ほとんどの人は何の考えも頭の中を巡っていなかったということです。ありがたいという考えを抱いた人は、その考えを抱く「前に」幸せや愛を感じていました。

ありがたいという考えを抱いた場合は、こうした感情を覚えた後に考えが生じたのであって、その考えが感情を生み出したわけではありませんでした。

これがもうひとつの真実を明らかにしています。ポジティブな感情を得るためにわざわざ考えたり、思考したりする必要はないのです。

真実の素晴らしい点は、今すぐにここで体験できるため、それを正当化する必要がないということです。証明したり合理的に説明したりする必要もなく、いま行った実験によって、あなたはこの真実を直接体験しました。

喜びや愛といったポジティブな感情を得るために、わざわざ考えたり思考したりする必要はありません。

私たちの自然な存在状態は、喜び、愛、歓喜、自由、感謝です。これは信じ難いことかもしれません。それが自然な状態であるなら、なぜ私たちはいつもそう感じないのかという疑問が湧くからです。この疑問について少しお答えします。

何かの自然な状態を確かめるときのきわめて良い方法のひとつは、その本質や初期段階（まわりの環境によって影響を受けたり調整されたりする前）の状態を見ることです。

たとえば、赤ちゃんの自然な状態を見てみましょう。赤ちゃんの生まれたままの状態（虐待されたり、育児放棄されたり、身体的問題を抱えたりしていない場合）はどのようなものでしょうか？　赤ちゃんは生まれつきストレスや不安、恐れ、自意識を抱いていますか？　それとも、生まれながらに無上の喜びや幸福、愛に満ちていますか？

私たちの自然な存在状態は、喜び、愛、安らぎです。したがって、私たちが行うどのような思考も、こうした自然な存在状態から私たちを遠ざけるだけです。その証拠に、極度のストレスを感じているとき、私たちはきまって「多くのこと」を考え続けています。私たちが感じるネガティブな感情の強さは、その瞬間にどれだけ多く考えているかに比例します。

一方で、私たちが感じるポジティブな感情の強さは、その瞬間に考えている量に反比例します。言い換えれば、考えている量が少なければ少ないほど、いま感じるポジティブな感情は強くなります。

この真実を確認するために、あなたが極度のストレスや不安を感じていたときの記憶をいくつか呼び起こし、そのときにどれだけ多くのことを考えていたか確かめてください。

1~2分程度かけてこれを行いましょう。

次に、あなたが最も幸せだったときや、最上の喜びや愛を感じたときの記憶をいくつか呼び起こし、そのときにどれだけ多くのことを考えていたか確かめてください。

さらに1~2分かけてこれを行ってから、あなたが確かめた真実を実際に体験し内面化しましょう。

思考の内容ではなく「思考の量」がストレスをもたらす

私がかつてコーチに教わり、この概念を具体的に理解するのに役立った比喩を紹介します。

私たちの頭脳が（車のように）速度計を備えていると想像してください。ただ、測るのは

1時間当たりの走行距離ではなく、1分当たりの思考の量です。私たちがたくさん考え続けるほど、「思考メーター」の数値は高くなり、特定の量の思考が続けばレッドゾーンに入ります。これは極度のストレスや燃え尽き、フラストレーション、怒りを感じている状態です。

私たちにストレスをもたらすのは、考えている内容ではなく、私たちが考えているという事実そのものです。私たちが続けている思考の量は、常に私たちが経験しているストレスやネガティブな感情の大きさに直接相関しています。多くのフラストレーションやストレス、不安、ネガティブな感情を経験しているとき、それはあなたが考えているからであり、こうした感情の強さは続けている思考の量に直接相関していることを知っておきましょう。

したがって、私たちに苦しみをもたらしているのは、私たちが考えている「内容」ではなく、私たちが考えているという「事実そのもの」なのです。

つまり、愛、喜び、至福など、私たちが望むポジティブな感情を経験するために「ポジティブに考えよう」とする必要はありません。というのも、そうした感情を覚えるのが私たちの自然な状態だからです。

私たちが自然にこうした感情を覚えないのは、頭に浮かんだ考えについて思考を巡らせることで「無限の知性」への直接的なつながりを遮断し、ストレスや不安、憂うつ、恐れを感じているときだけです。それは私たちが考えている内容ではなく、私たちが考えているという事実そのものによるもので、それこそが私たちの苦しみの根本原因です。ネガティブな感情の強さは、私たちが現在続けている思考の量に直接相関しています。

考える量が少なければ少ないほど、ポジティブな感情が自然に生じる余白をより多くつくることができるのです。

Chapter

06

人の経験はどうつくられるか――3つの原理

人々が経験を恐れないことを学んだとしたら、
それだけで世界を変えるだろう

――シドニー・バンクス（哲学者）

人の経験は、基本的に3つの原理によってつくられます。

- 普遍的知性
- 普遍的意識
- 普遍的考え

この3つの原理が一体となって働くことで、私たちは人生においてあらゆる経験をすることができます。この3つのどれかひとつが欠けても、私たちは何も経験できません。この3つの原理は哲学者シドニー・バンクスによって最初に発見されました。これからその内容を紹介していきます。

この3つの原理を理解することで、私たちは自分自身の苦しみを和らげる方法を知ることができます。そして、それと同時に、「源」から物事を創造できるようにもなります。

普遍的知性

「普遍的知性」は、すべての生きものを支える「知性」です。それは万物の中に存在する生命力とエネルギーです。

それによってどんぐりは木に成長する方法を知り、惑星は軌道にとどまる方法を知り、私たちの身体は切り傷を負ったときに癒す方法を知ります。また、私たちの身体は呼吸や心拍などあらゆることを手動で行わなくても、自動で自分を生かし続ける方法を知っています。

これらすべての方法を知る「知性」は「普遍的知性」と呼ばれます。多くの人はこれを「神」「無限の知性」「源」などと呼んでいます。「考え」や、「宇宙」に存在するすべてのものがここから生まれるのです。

万物は「普遍的知性」によってつながっています。どのような物事の間にも境界はありません。物事の間に境界があるように見えるとき、それは私たちの思考の錯覚にすぎません。「普遍的知性」とつながっているとき、私たちは満足感や充実感を覚え、愛や喜び、安らぎ、インスピレーションで満たされていると感じます。私たちが考え始めたとき（錯覚やエゴを信じたとき）に初めて、この「普遍的知性」の流れをさえぎり、隔絶やフラストレーション、孤独、怒り、憤り、悲しみ、憂うつ、恐れを感じるのです。

普遍的意識

「普遍的意識」は万物の集合意識です。それよって私たちは自分の存在を認識したり、自分の考えを認識したりできるのです。「普遍的意識」がなければ、私たちは何も経験できません。認識するものがなくなるため、私たちの五感は役に立たなくなります。「普遍的意識」こそが物事に命を吹き込み、私たちはそれを知覚できるようになるのです。

普遍的考え

「普遍的考え」は、私たちの創造の源となる万物の素材です。それは私たちの考える力であり、「普遍的知性」のエネルギーから形あるものをつくり出す能力です。

それは「意識」を通して私たちが知覚できる対象です。「考え」がなければ、私たちは何も認識できません。「考え」は、テレビで映画を視聴するためのすべての情報を含むＤＶＤのようなものです。テレビとＤＶＤプレーヤーは「意識」であり、それによって、映画を見て体験できるようにＤＶＤの情報を映し出す仕組みが私たちに備わります。テレビとＤＶＤプレーヤーに電力を供給するために必要な電気は、万物を結び付けて動力を供給する目に見えないエネルギーや力であるという意味で「普遍的知性」です。それはあらゆるものが働いて機能するのを支える「源」です。

Chapter
07

どうすればやめられるか？考えるのを

考え事で頭がいっぱいになると、
穏やかな心を持つための余白が奪われる

――クリスティーン・エバンゲロウ（作家）

天国と地獄：ある禅の寓話

あるとき、一人の屈強でたくましい侍が、深い瞑想をしていた禅師に近づいてきました。気が短く無作法な侍は、いつもどおりの怒鳴りつけるようなしゃがれ声で「天国と地獄の本質を教えてくれ」と要求しました。

禅師は目を開けて、侍の顔をのぞき込み、蔑むようにこう答えました。

「なぜ私がお前みたいにむさくるしく、汚らわしい、生気のない、がさつ者の質問に答えなくてはならないんだ？　お前のような虫けらに、私が何かを教えるべきとでも思うのか？　我慢ならない。私の前から消え失せろ。ばかげた質問に答える暇はない」

侍はこうした罵詈雑言に耐えられませんでした。怒りに駆られた侍は、禅師の首を一気に斬り落とそうと、刀を抜いて振り上げました。

すると禅師は、侍の目をまっすぐに見据えて優しくこう言いました。

「それが地獄です」

侍はぎょっとしました。そしてすぐに自分が怒りに支配されていたことを悟りました。頭の中で自分自身の地獄――恨みや憎しみ、自己防衛、激しい怒りに満ちた地獄――をつくり出していたのです。自分が苦悩するあまりに、危うく罪もない人を殺しかけたことに侍は気づきました。

侍は目に涙をためて、刀を脇に置き、手を合わせ、この気づきを得られたことに感謝して深々と頭を下げました。

禅師はやわらかく微笑んで、穏やかにこう返しました。

「それが天国です」

「いま、ここ」に心を置く

考えるのを完全にやめるのは不可能ですが、考える時間を減らすことはできます。そうやって日を追うごとに考える時間を少なくしていけば、やがて一日の大半を思考にとらわれずに過ごし、ほとんどの時間を幸せに満ちた状態で生きられるようになります。

私たちが「考えるのをやめたい」と言うと、多くの人はたいてい、すべての考えをやめようとしていると勘違いします。これは私たちが目指していることではありません。「考え」と「考えること（思考）」の違いはもうおわかりですね。**私たちは、浮かんだ考えについて「考えること」は最小限に抑えて、「考え」だけが次々と浮かんではあふれてくる状態を目指しているのです。**

考えるのをやめることについて、最も興味深く逆説的とも言えることがあります。それは、考えることを最小限に抑えるにはそれを意識するだけでよく、他には何も必要ないということです。自分が考えているということ、それがすべての苦しみの根本原因であることを意識すれば、私たちはおのずとその事実を自覚します。そして、思考にとらわれなくなり、思考を落ち着かせてやり過ごすことができるようになります。労力はほとんどいりません。純粋に「いま、ここ」に心を置くだけでいいのです。

ではここで、私のメンターの一人から教わった、この概念を説明する例え話を紹介しましょう。次の質問に答えてください。

Q. 汚く濁った泥水の入ったボウルを私があなたに渡すところを想像してください。その水を澄んだ状態にするようにお伝えしたら、あなたはどうしますか？

先に進む前に、15秒かけてどんな答えが思い浮かぶか確かめてください。

ほとんどの人は、水をろ過したり煮沸したりといった方法を口にします。泥水の入ったボウルをしばらく放っておくと、泥がひとりでに水の底に沈み始め、やがて水が自然と澄んでくることに、大半の人が気づきません。

私たちの頭の働き方もこれと同じです。

「ろ過」や「煮沸」を試みて思考を乱すのではなく、そのまま放っておけば、思考はひとりでに落ち着いて、私たちの頭は思考から解放されます。水の自然な状態は澄んでおり、**私たちの頭の中の自然な状態も、自分で乱さないかぎり澄んでいるのです。**

人生が不透明で混乱し、ストレスに満ちていると感じ、次に何をすべきかわからない場合、それはあなたの思考が泥をかき回して頭の中を濁らせ、前を見えづらくさせているからにすぎないことがもうおわかりでしょう。

あなたはこの状態を、自分が考えすぎていることに気づくための指標として使うことができます。

自分が考えていることしか感じられず、考えることが不快な経験の根本原因であることを意識すれば、その経験をあるがままに受け止めることができます。そして、干渉しないことによって思考を落ち着かせることができ、少しずつ頭の中を澄んだ状態に戻す方法がわかるようになります。

思考の流砂から抜け出す方法

思考を流砂に例えることもできます。私たちが自分の思考と格闘すればするほど、ネガティブな感情は増幅し、事態は悪化します。流砂も同じです。

もし私たちが流砂にはまったとしたら、抜け出す方法は流砂と格闘することではありません。私たちがパニックに陥って必死にもがけばもがくほど、流砂は私たちをいっそう強くつかんで、さらに速く下へ引きずり込み、事態を悪化させるだけです。

流砂から抜け出す唯一の方法は、もがくのをやめて、身体の自然な浮力が働く状態にして、砂の表面に難なく戻れるようにすることです。自分の思考から抜け出す唯一の方法は、なすがままにして、私たちの生まれ持った内なる知恵が、私たちを普段の明快で安らかな状態へと導くように任せることです。

あなたがいつの間にか「考えている状態」と「考えていない状態」の間を揺れ動いていたとしても、それはまったく問題ではありません。ずっと何も考えない状態でいられるわけはありません。それを目標にしようとすれば、かえって自分を思考に引き戻して苦しむことになります。

私たちは物質的で有限の体験をしている霊的で無限の存在です。そのため、私たちは文字通り人間と神との間にある「生きた門」であり、必然的に不安やストレスを感じる状態と、喜びと安らぎを感じる状態の間を行ったり来たりします。

考えている状態と考えていない状態の間を揺れ動くのを制御したり防いだりすることはできません。ですが、考える時間を最小限に抑えて、喜びや安らぎ、情熱、愛情をいっぱいに感じる瞬間をもっとつくりだすことはできます。

考え始めるのを制御できないというのは、避けられない運命に呪われているように思えるかもしれません。しかし、私たちはいつでも考えていない状態に戻れるので、心配はいりません。それは、人としての素晴らしい経験の一部なのです。

何らかの瞬間にどんな思考を巡らせても、根底には常に、こうした純粋な安らぎや愛、充実感に満ちた状態があると自覚すれば、真の安らぎが得られます。私たちがいつも望んでいるその美しい状態は、決して失われることはなく、私たちがただ忘れているだけです。しかし、忘れているからといって、そこに存在しないわけではありません。夜になり太陽が沈んでも、太陽が常にそこにあることを私たちは知っています。ただ見えていないだけです。太陽が沈むときに、二度と戻ってこないかもしれないと考えたら、不安や恐ろしい考えが次々と浮かんできても無理はありません。同じことが私たちの存在状態にも当てはまります。

私たちには常に、明快さや愛、喜び、安らぎ、充実感という無限の泉があります。このことを思い出すにはほんの一瞬あればいいのです。

私たちはときどきそれを忘れますが、ネガティブな感情を抱いたときに、自分が思考にとらわれていることを自覚するだけで、自然な美しい状態に戻ることができます。私たちに必要なのは、そのことを思い出し、これが自分の思考にすぎないことを自覚したうえで、太陽が永遠に消えたわけではなく、またすぐに昇ってくると認識して心を安らげることだけです。

それを理解しておけば、宇宙における夜の存在と役割について正しく評価できるようにもなります。またそれによって、夜が私たち人間の経験の一部として存在することに気づき、太陽と同じくらいその美しさを大切に思えるようになるでしょう。

Chapter 08

考えずにどうやって成功できるのか？

不安は制御なき思考であり、フローは思考なき制御である

――ジェームズ・クリアー（作家）

この章のタイトルにある疑問について、あなたが知見を得られるように、次の質問をします。

Q. あなたが自分のしていることにすっかり心を奪われて熱中し、紛れもなく最高の仕事をしているとき、どんな考えが頭の中をよぎっていますか？

先へ進む前に、15秒程度かけて答えが浮かんでくるのを待ちます。

その答えについての知見やひらめきが得られない場合は、あなたを正しい方向へ導く別の質問をします。

Q. 自分のしていることに夢中で、完全に没頭し、時間や空間の感覚をすっかり失っているとき（いわゆる完全な「フロー状態」にあるとき）、その瞬間にどんな考えが頭の中をよぎっていますか？

一呼吸置いて、答えが浮かんでくるのを待ちます（知見が得られるまで約30～60秒程度待ちましょう）。

あなたが最高の仕事をしていて、自分自身と自分のしている仕事の間に境界がない完全なフロー状態にあるとき、その瞬間は何の考えも浮かんでいないはずです。もし考えが浮かんでいたとしても、あなたはそれについて考えること（思考）なく、考えが頭の中をただ流れているだけです。

つまり、人間が最高のパフォーマンスをしているときは、何も考えていない状態だと言えます。奇妙に思えるかもしれませんが、私たちは何も考えていないときに最高の仕事をします。そして、あなたはそれを自分自身の体験で証明したのです。

このテーマの真実を理解するのに役立つもうひとつの例を挙げます。

プロのアスリートやオリンピック選手が競技をしているとき、競技中に起きていることを一つひとつ考えたり必要以上に分析したりしていると思いますか?

競技中にアスリートの頭の中でどんな考えが巡っていると思いますか?

最高のパフォーマンスをしているアスリートは、最高の状態にあるときのことを「ゾーン」に入ると表現します。この「ゾーン」とは、フロー状態、あるいは何も考えていない状態です。

日本の文化には、この現象を言い表す美しい言葉があります。

それは「無心」です。

『ショウトウカン・タイムス』（訳注：空手の流派のひとつである松濤館流が空手家向けに発信している英語通信）は「無心」を次のように定義しています。

「心がとりとめのない考えや、怒り、恐れにとらわれていないとき、とりわけエゴにとらわれていないときに、無心に至る。これは闘いの最中や人生のそれ以外の場面にも当てはまる。闘いの最中に無心に至ると、まとまりのない考えやとりとめもない考えは消え去る。それによって、空手家は躊躇なく自由に動いて反応できるようになる。空手家は自分をここまで導いてきた稽古や訓練のとおりに反応する。次の動きはこうあるべきと自分が考えることに頼るのではなく、訓練に基づく本能的な無意識の反応の導きに従うのだ」

訓練を経ると、考えることがかえってアスリートのパフォーマンスを妨げますが、それは誰にでも当てはまります。考えたり必要以上の分析を始めたりしたときに限って、私たちは躊躇し、尻込みし、疑いや不安や恐れを抱きます。

何も考えない状態に入った瞬間に、私たちは最高の状態で働き、パフォーマンスし、潜在能力を最大限に発揮できるのです。考えなければ、私たちはエゴの縛りから解放され、この世で最も素晴らしいものを生み出すことができます。

私はあなたがこの考え方を取り入れることを求めているのではありません。私が求めているのは、あなたが自ら知見を得てそれを自分のものにできるよう、あなた自身でそれを試して体験することです。

Chapter
09

考えることをやめたら、目標や夢はどうなるのか？

私たちが限界を設けない限り、心に限界はない

――ナポレオン・ヒル（作家）

我思う、ゆえに我苦しむ

考えること（思考）がすべての苦しみの根本原因であることに気づくと、私はこれまで経験してきたあらゆるネガティブな出来事の真の理由を見つけられたことに飛び上がって喜びました。しかし、この喜びは長くは続きませんでした。幸福感が落ち着いたとたん、次の疑問が頭に浮かんできたからです。

考えることが私のすべての苦しみの根本原因であって、私が考えるのをやめたとしたら、これからどうやって生きていけばいいのだろうか？

私の目標や夢、願望はどうなるのだろうか？

人生に何かを望むのをやめてしまうのだろうか？

ソファに寝転がったまま怠惰に過ごす人間に成り下がって、もう何もしない人生を送るのだろうか？

驚きましたか？　そうです、私はテレパシーを使ってあなたの心が読めるのです。それは冗談ですが、あなたの疑問とまったく同じか、よく似た疑問をどうして書けたのか、たった今あなたの頭に浮かんでいる考えがなぜわかったのか不思議に思っているなら、それは私もあなたと同じひとりの人間だからです。

誰もが「本当の自分」を知るために、同じような旅をしています。ですから、あなたが自分の本当の素晴らしさに気づくにつれて、多くの人が今のあなたとまったく同じ考えを持っていることに安心するのです。

ではここで、先ほどの疑問に戻りましょう。
「もし考えることをやめたら、私たちの目標や夢、願望はどうなるのか？」
私の場合、こうした疑問について考えているうちに、信じられないほどの恐怖と不安が襲ってきました。目標や夢、願望のすべてを諦め、山にこもって僧侶にでもならなければいけないと考えたからです。

そんな心の準備はまったくできていませんでした。悟りを開いて今の生活とかけ離れた環境に身を置けたらいいとは思いつつも、たとえ人生の大部分が苦しみに満ちていても、私は俗世での生活を楽しみ、周囲の人たちと共に人生を存分に味わいたかったからです。

こうした新しい理解に基づいて、私たちの目標や夢をどうすべきなのでしょうか？　それについて私が発見したことを紹介します。

目標や夢がどこから生まれたか

これまでの章で述べてきたように、「考え」と「考えること（思考）」は違います。考えの源と思考の源は異なり、その源が苦しみを引き起こすかどうかを決定づけます。

同様に、私たちの目標や夢がどこから生じているのかによって、私たちがその目標や夢を追い求めることを心地よく感じるかどうかが決まります。もともと良いものや悪いものはありません。私たちの思考が良し悪しを決めているだけです。目標や夢、願望に良いも悪いもありません。そのため、良い・悪いの二者択一ではなく、こうした目標や夢がどこから生じているのかが重要になります。

目標はその源によって2通りに分けられます。「インスピレーションに基づく目標」と、「切羽詰まった状態で立てた目標」です。

切羽詰まった状態で目標を立てた場合

切羽詰まった状態で目標を立てると、私たちは大きな不足感や切迫感を感じます。その目標が重荷に感じられ、自分に課した膨大なタスクに気後れすることさえあります。インポスター症候群（訳注：客観的に高い評価を得ていても、自分の実力を過小評価し、詐欺師のように周囲をだましている感覚に陥ってしまう心理状態）や自己不信に陥り始め、何をするにも時間がないと常に感じるようになります。

がむしゃらに日々を送り、目標を早く達成できる方法を懸命に探して、常に外側に目を向け、満足感や十分にやったという感覚を得ることができません。一番困るのは、期せずして目標を達成すると、その数時間後、あるいは数日後には、不足感が再び襲ってくることです。

自分がやり遂げたことに満足せず、自らの成果を味わうことができず、十分にやったと感じられないため、自分自身についても同じような不足感を抱きます。

他に何をすべきかわからず、外部に評価の指針を求めて、他の人が何をしているのか、同じことをやり続けているのかを確認します。その結果、自分の心を苦しめているネガティィブな感情から逃れようと、切羽詰まった状態でまた別の目標を立て始めます。

私たちが立てるこの種の目標を少し掘り下げてみると、これらはすべて典型的な「手段としての目標」であり、「最終目標」ではないことがわかります。

つまり、こうした切羽詰まった状態で立てる目標はすべて、別の目標を達成するための手段なのです。目標を達成したい理由は何かしら必ずありますが、それは常に別の目標のためです。

たとえば、数百万ドル規模の事業を立ち上げたいのは、経済的自由が欲しいからであり、仕事のストレスや不安から逃れるために今の仕事を辞めたいからです。私たちはそれを「したい」のではなく「しなければならない」と感じています。

切羽詰まった状態で立てる目標は、たいてい「現実的」であり、自分の過去やその時点で自分が「妥当」だと思うことを分析して設定されます。そのため、非常に窮屈で限定的に感じられるのです。

この種の目標や夢は、設定した時点では私たちをワクワクさせるかもしれませんが、それを形にし始めたとたん、私たちは不足感を覚え、その夢に命を吹き込もうと必死になります。

逆説的ですが、切羽詰まった状態で立てた目標をいよいよ達成する段階になると、私たちはそれまで以上にむなしさを感じることになります。そして、次にとりがちな「論理的な」行動として、内面で満足感を得られることを願い、さらに切羽詰まった状態で、もっと大きな目標を設定するのです。

大半の人がこのように目標を設定しながら人生を生きています。批評や判断を下すためにこう言っているのではありません。現実を明らかにするために言っているのです。私の人生がこのとおりだったからこそ、こうして事細かに描写できるのです。

インスピレーションで目標を設定した場合

ここで良い知らせがあります。もしあなたがこうやって目標を設定していても、あなたのせいではありませんし、そこから抜け出す方法もあります。切羽詰まった状態ではなく、インスピレーションに基づいて目標や夢を設定すればいいのです。

切羽詰まった状態ではなく、インスピレーションで目標を設定すると、話はまったく違ってきます。こうした目標であれば、私たちは深く心を動かされ、開放的な気分で創造することになります。

その目標は義務ではなく、使命のように感じられます。内側から湧き上がる生命力のような強い力があり、それが私たちを通して表現され、世界に現れたいと望んでいるかのようです。たとえ報酬を得られなくても、生計を立てられなくても、画家が絵を描き、ダンサーが踊り、作家が物を書き、歌手が歌う理由はここにあります。私たちは何かを生み出す力に引っ張られていると感じます。その引力に引き寄せられます。そうせずにはいられない気持ちになります。

このように感じるとき、私たちは不足した状態ではなく、豊かな状態から創造しているのです。

驚くべきことに、こうした状態のとき、単純に「そうしたいから」という以外には、私たちが創造している理由はいっさいありません。私たちはそう「しなければならない」と感じて創造するのではありません。単純にそうしたいから創造するのであって、他に理由はないのです。何か別のことをするために、あるいは自分が望む他の何かを得る手段として利用するために、これらの目標を立てているのではありません。

こうした創造は、完全な状態や豊かな状態から生まれます。それは愛や人生の喜びがあふれ出たものです。ほとんどの人が子どもを望んだり持ったりするのも、そうした理由からです。子どもを望むのは、子どもが働ける年齢になったらお金を稼がせて、願わくは退職金制度のように利用するためではありません。

私たちが子どもを望むのは、自分たちが持つたくさんのものを子どもに分け与えたいからです。子どもから何かを得ようとするのではなく、自分たちが持つ多くのものを子どもに分け与えたいというところから、その願いは生まれています。

こうした深いインスピレーションの感覚は、この世界からもたらされるものではないため、説明するのが非常に困難です。それは私たちの中から生じるのではなく、もっと大きな存在から私たちにもたらされます。

この感覚を「神聖なインスピレーション」と表現したいのは、私たちが創造したいものに関するアイデアや構想が、自分で想像したり思いついたりできるものよりもはるかに大きいように思われるからです。

神聖なインスピレーションは、自分たちの中からではなく、もっと大きな存在からもたらされます。そのため、過去のデータや、あなたや世の中の誰かがすでに達成していることを分析したり、頼ったりすることはありません。

神聖なインスピレーションは、少し前まで不可能とみられていた画期的な創造物や発明品が生み出されるときにもたらされます。インスピレーションには、境界や制限、制約はありません。私たちを活気づけ、鼓舞する、信じられないほど広大な力であり、人生に「高揚感」をもたらします。この状態のとき、私たちは満足感や充実感を覚え、無条件の愛や喜び、安らぎに満たされていると感じます。

何かを分析したり、比較したり、批評したり、判断したり、理屈で解釈したりせず、心から生きて、愛し、共有し、与え、創造し、成長し、育みます。それはまさに私たちが味わえる最も素晴らしい感覚のひとつであり、私たちが人として神を体験できることは、まさにギフトです（それは私たち人間が同じ源から生まれているからです）。

切羽詰まった状態からではなく、純粋なインスピレーションに基づいた素晴らしいものを世に生み出したいという願望は、誰もが抱いたことがあるはずです。次の項に移る前に、この理論のテストをしてみましょう。

Q.一呼吸置いて、数分時間をとり、これまでの人生で、深いインスピレーションや使命を感じたことによって、素晴らしいものを生み出したいという圧倒的な感情や願望を抱いたときのことを思い起こしてください。

実際にそれを生み出したかどうかは関係ありません。インスピレーションをきっかけに何かを生み出したいと感じたときのことを、ただ思い起こしてみましょう。

それはこの世で最も素晴らしい感情のひとつではありませんか？　ほとんどの人がこの神聖なインスピレーションを感じますが、それを実行に移すことを考え始めたとたん、その感情を抑え込みます。自分を疑い始め、できない理由を正当化し、それは非現実的であり、もっと大事なことに集中すべきで、それを行うには力不足だと自分に言い聞かせます。創造したいという考えに思考を巡らし始めるとすぐに、そのインスピレーションの源を完全に遮断して、普段の生活に戻ってしまいます。その源を遮断するとき、私たちは同時に、豊かさや幸福感、歓喜、喜び、純粋な無条件の愛といった感情をも遮断し、疑いや不安、フラストレーション、悲しみという感情に逆戻りして、自分の生活に窮屈さや行き詰まり、不満を感じてしまうのです。

私たちは一度にひとつの使命——つまり、いまこの瞬間、インスピレーションに基づく使命か、切羽詰まった状態から生じた使命か——にしか従うことができません。この2つは同時に共存できませんが、思考の量に応じて2つの間を揺れ動く可能性はあります。

考えるのをやめても、私たちは目標や夢を持つのをやめるのではありません。実際は自分の本質に立ち返って、切羽詰まった状態からではなく、インスピレーションに基づいて目標や夢を設定し始めます。私たちを神聖なインスピレーションへと導く宇宙、そこからもたらされた考えが頭に浮かぶ下地をつくり、この世界で今までつくられたことのないものを創造する準備を整えるのです。

神聖なインスピレーションに従うとき、私たちは生きていることを実感し、満足感や喜び、愛、安らぎ、充実感を得ます。

では、目標や夢がインスピレーションと切羽詰まった状態のどちらから生じているか、どうすればわかるでしょうか？

目標や夢がインスピレーションから生じたかどうかを確かめる簡単な方法は、「考え」と「考えること」の違いを思い出すことです。「考え」の形でもたらされる目標や夢はインスピレーションから生じています。「考えること」からもたらされる目標や夢は、切羽詰まった状態から生じています。

通常、私たちが考えるときは、自分の過去を分析、判断、批評、理屈で解釈し、それを用いて新しい目標を立てようとしますが、こうした形式の目標設定は非常に窮屈で限定的に感じられます。この種の目標を設定するとき、私たちはたいてい気分が良くありません。その目標を追求しているときも、それは切羽詰まった状態で立てた目標なので、やはり気分が良くありません。

「活力の度合い」で目標の種類を見分ける

2つの目標を見分けるもうひとつの方法は、自分の活力の度合いを感知することです。**切羽詰まった状態から生まれた目標や夢は、非常に重く、体力を消耗し、窮屈で、むなしく感じられます。**

私たちはそれを「やらなければならない」、あるいはそれをする義務があると考え、不足感や恐れ、ストレスを多く感じます。

この種の目標を立てると、達成しなければ恐ろしい結果が待っているように感じられて、プレッシャーと危機感が高まります（これがいかに切迫感を生むか、あなたにはおわかりでしょう）。また、現状から逃避し、何かから逃れるために目標を達成しようとしている気持ちになります。

こうした状態で立てられた目標は、たいてい手段としての目標です。

たとえば、今の仕事を辞めるという目標を立てた場合、本当は後で別のことをするために、その目標を達成したいと考えています。

あなたは自分が本当に楽しめることをしたいから、この目標を立てているに違いありませんが、今の仕事を辞めるという目標は、他のことをするための手段としての目標にすぎません。あるいは、百万ドル稼ぐという目標を立てるのは、たいてい経済的自由を手に入れたいからであり、世界中を旅したいからでしょう。

こうした目標は必ず、ある目標を達成するための手段であり、それ自体が最終目標ではありません。こうした目標を達成したい理由が必ず別にあり、そのせいで心にひどくむなしさを感じるのです。

強調しておきたいのは、こうした目標のどれもがそれ自体悪いわけではないことです。お金を稼ぎたい、仕事を辞めたいなどという目標を持つべきではないと言いたいわけではありません。もしそうした目標がインスピレーションから生まれたものなら、話はまったく違ってきます。それは目標の源次第であって、目標そのものは必ずしも問題ではありません。

これはしっかり区別すべきポイントです。さもなければ、その目標があなたにとって正しい目標かどうかをめぐる議論に多くの時間を割くことになり、ストレスでまいってしまうことになりかねません。

実際、正しい目標や間違った目標というものはなく、インスピレーションから生まれた目標か、切羽詰まった状態から生まれた目標かがあるだけです。それはあなたが心の中でどう感じたいのかによります。そして、あなたがこの2種類の目標とその現れ方を理解しておけば、これからの人生で素晴らしいものを生み出していくなかで、この上ない幸せを感じることができるでしょう。

一方、インスピレーションに基づいた（考えから生じた）**目標や夢は、とても軽やかで、活力や高揚感、開放感を覚えます。**胸が躍り、喜びにあふれ、そして最も重要な点として、鼓舞されたように感じます。それを創造「しなければならない」と感じるのではなく、創造「したい」と感じます。それをする「必要がある」と感じるのではなく、心が突き動かされるように感じます。

この目標を達成することによって何かから逃れようとか現状から逃避しようとしているわけではないため、プレッシャーはほとんどありません。不足した状態からではなく豊かな状態から創造し、それを世界と共有したいというだけなので、不足感も切迫感もありません。インスピレーションに基づいているので、別のことができるよう、そこから何かを得るために取り組むわけではありません。それは手段としての目標ではなく、それ自体が純然たる最終目標です。それを創造する「理由」は必要ありません。私たちは満足感を得るために創造しているのではなく、何も期待せず、満足を感じていて、分け与えたいから創造しているのです。

あなたもこの2つの明確な違いを理解し、自分の目標がどちらに当てはまるかわかるようになったはずです。あなたの目標のほとんどが切羽詰まった状態から生まれた目標に当てはまったとしても心配はいりません。より良い方法を知る前の私を含めて、ほとんどの人が切羽詰まった状態で目標を立てているからです。

目標を設定するのに努力はいらない

では、切羽詰まった状態ではなく、インスピレーションから目標や夢を設定するにはどうすればよいでしょうか？

神聖なインスピレーションから目標や夢を設定するのに努力はいりません。私たちは生まれながらに無限のインスピレーションがもたらす考えを常に持っています。子どもたちを見れば、自分がやりたいことについて途方もない夢と想像力をおのずと持っていることがわかります。自分が何かをすることができないという考えは、たいていの場合、子どもたちの頭の中にはほとんどありません。私たちが子どもたちと違う点はひとつだけです。それは、この世で実現することを心から望んでいる夢や希望を含んだインスピレーションに基づく考えを、すべて遮断することを覚えてしまったことです。**私たちの頭の中は、自分が生み出したいものに関する考えよりも、それができない理由でいっぱいなのです。**

私たちは生まれながらに無限のインスピレーションの流れを受け取っていますが、浮かんだ「考え」について考え始めたとたん、その流れが遮断され、自己不信や自己妨害、不安に陥ります。

創造につながるインスピレーションの流れを川に例えて考えてみましょう。人間が川をせき止めるダムのようなものを設置するまで、川は常に流れています。そして、ダムができると、なぜこれほど多くの魚が死に、動物が姿を消し、森が失われているのかと私たちは口にします。実際は、川を自然な状態に戻しさえすれば、自然の本来の営みによってすべてが元どおりうまくいくのです。

私たちの頭の働きと目標についても同じです。私たちが夢を見て、大きな目標を持ち、思考にとらわれずに内なる知恵や内なる知性とつながっているときはいつでも、何をすべきかわかっています。私たちが自分の考えについて思考を巡らせさえしなければ、夢や目標、願望について自然に生じる考えはすべて神からもたらされたものであり、それこそが切羽詰まった状態ではなくインスピレーションから目標を「生み出す」方法なのです。

次に、思考を落ち着かせ、自分が生み出せるものの無限の可能性を活用するのに大いに役立つ質問をします。

Q.

もしお金が無限にあって、すでに世界中を旅していて、
何の不安もなく、自分のしていることが
特に誰の評価の対象でもなかったとしたら、
私は何をするだろうか？
何を生み出すだろうか？

質問をすれば、答えは必ず浮かんできます。脳が質問を聞いて答えを思いつかないことはあり得ません。ですから、この質問を自分に投げかけたときに、意識的な思考をせずに自分の中に浮かんでくる答えはすべて神からもたらされたものであり、切羽詰まった状態からではなくインスピレーションから生じています。

質問の言いまわしは非常に重要です。その表現が、思考や恐れ、批評、何かをしたい外的な理由の大半を取り除き、物質界からの影響を受けることなく、あなたが本当に生み出したいものに答えを集中させることになるからです（通常は、楽しいからそれを生み出したいという以外の理由はありません）。

この質問を自分に投げかけて、どんな答えが浮かぶか確かめてください。浮かんだ答えにあなたは驚くでしょう。ですが、あなたの本当の夢が明かされ始めたとき、自分の思考にとらわれないようにしましょう。

思考という制限を課されていない心に、不可能なことはありません。

Chapter

10

無条件の愛と創造

人間が手に入れることのできる最大の力は無条件の愛の力だ。
制限や条件、境界なく愛するとき、人はこの力を手に入れる
――トニー・グリーン（作家）

私は、かけがえのない恋人であるマケンナから、無条件の愛について学びました。人生の大半を通して、私はいつもあらゆることに疑問を持ちながら生きてきました。物事が今の状態にある理由を知らないと気が済まず、それがわからないとイライラしました。すべての物事の意味や理由を知ったうえで暮らさずにはいられなかったのです。

付き合い始めて1年が経ったころ、恋人同士なら誰でもするように、私はマケンナになぜ私を愛しているのかと尋ねました。すると彼女は「理由はわからないわ。あなたを愛しているということがわかるだけ」と素直に答えました。そして、彼女が私になぜ自分を愛

しているのかと訊き返したとき、私はその理由を何十通りも挙げました。美しい笑顔、愛らしい笑い声、心が純粋なこと、家族をとても愛していること、聡明であることなど、理由を挙げればきりがありません。

私たちが付き合い始めて6年になりますが、私は最初にそう質問してから数カ月おきに、なぜ私を愛しているのかと彼女に訊き続けてきました。しかし、彼女は相変わらず同じ答えを返すのです。「理由はわからないわ。あなたをとても愛しているということがわかるだけ」

これは長年私のちょっとした悩みの種でした。なぜ彼女が私を愛している理由がわからないのか理解できなかったからです。私は彼女を愛している理由を50通りも挙げることができるのに、彼女はひとつも挙げることができません。それでも私は彼女をとても愛していたので、彼女が私を愛している理由がわからなくても、特に気にしないようにしていました。私はそれをただ受け入れて、とにかく彼女を愛し続けました。そうせずにはいられなかったからです。

彼女が私を愛している理由を思いつくことができないのはなぜか、その訳に気づいたのは数カ月前のことです。私は自分が挙げたマケンナを愛している理由に疑問を持ち始めていました。そのとき、私の人生を永遠に変えるひらめきを得たのです。

私はこう自問しました。

「私は彼女の笑い声が好きだから、人を助けるところが好きだから、彼女を愛しているのか？」

「ある日彼女が笑わなかったら、その日人を助けなかったらどうなるのか？」

「彼女を愛している理由として挙げたことを彼女がしなかったら、彼女を愛さなくなるのか？」

彼女を愛していることに理由をつければ、彼女への愛に具体的な特性や行動に基づく条件をつけ、マケンナがその特性や行動を示さなければ彼女を愛さないことになるのだと私は気づきました。もちろん、それは真実ではありません。

その瞬間、マケンナが私を愛している理由を挙げられないのは、彼女の私への愛が無条件だからだという、目から鱗が落ちるような気づきを得ました。彼女が私を愛するのに理由などなかったのです。理由があれば、彼女が思い描いている特性や行動を私が示している場合に限って私を愛することになるからです。

彼女の私への愛は、私の特性や行動に基づいたものではありません。その愛はあらゆる「理由」を超えていて、二人の相互関係から生じているわけでもありません。彼女は、私が彼女を愛しているから私を愛しているわけではなく、私が彼女のためにする行動が理由で私を愛しているわけでもありません。マケンナは彼女自身の中でとても深い愛を感じていて、彼女が私に無条件に与えているのは、その豊かな愛があふれ出したものなのです。

こうした感情や、その感情がどこから生まれるのかを明確に説明するのは、私のこれまでの人生のなかで最も難しい作業かもしれません。言葉では言い表せないことを説明しようとしているからです。

この経験を通じ、私はマケンナへの愛に理由や条件をつけないことによって、マケンナへの愛を無条件にすることを学びました（愛することに理由や条件をつければ、おのずと彼女を愛さない条件をつけることになるからです）。

この経験を経た今、私の中にはたくさんの愛があり、何があろうと彼女を愛さずにはいられない無条件の愛にあふれています。この無条件の愛は、外的な理由から生じているのではなく、すべての人に共通する無限の源から生じています。

私たちは皆、この純粋な無条件の愛とつながっています。それは神であり、宇宙であり、その呼び名は問いません。このつながりを邪魔するものは、無条件の愛から私たちを切り離して孤立させる私たち自身の思考だけです。

無条件の創造

無条件の創造は、この世に存在する最も純粋な創造の形です。無条件の愛から何かが生まれるとき、私たちはそこに立ち尽くし、畏敬の念を抱いて称賛せずにはいられません。

無条件の創造は、常に画期的で、ユニークなものです。魅力的で、大胆で、独自の革新性を持っています。私たちはいつでも自分の行動や創造するものに条件をつけてしまうので、この領域で創造できている人はほとんどいません。

たとえば、お金をもっと稼ぐという目標を達成するために働いているときは、必ず自分のために収入を生み出そうとしているでしょう。これは条件つきの創造です。単にお金を持つためにお金が欲しい人はいないからです。ほとんどの人が、他の目的のため、あるいは自分が求めている別の何かに使うためにお金が欲しいのです。

これは本質的に、創造しているものを条件つきにします。そこから別の何かを手に入れたくて創造しているにすぎないからです。他の目的のために何かを創造するとき、私たちはたいてい創造のプロセスを楽しんでいません。それはきまって別の目標を達成するための単なる手段にすぎず、それ自体が最終目標ではないからです。

私たちが常に駆け回り、あくせく働いて、頑張った挙句、いつもストレスを抱えて圧倒されたように感じている理由はそこにあります。目標を達成した後も、ほんの数秒達成感を味わうだけで、私たちはすぐに、追いかけなければならない別の目標に向かうことになります。自分が本当に探し求めていたものを手に入れたわけではないからです。

私たちが最終的に探し求めているものは「感情」です。

お金がもっと欲しいのは、安心感や安らぎを得るためです。家族と一緒に過ごしたいのは、愛と喜びをたくさん感じられるからです。好きなことをしたいのは、充実感を得られるからです。これらはすべて最終的に私たちが得ようとしている感情ですが、私たちは自分が叶えたい目標や目的がこうした感情をもたらすものと常々考えています。

しかし、この考え方には本質的な欠陥があります。私たちの感情は、外的な物事ではなく、私たちの中からしか生まれないからです。外的な物事は私たちに感情を生み出すよう促すことはできますが、最終的に感情を内側から生み出すのは私たちです。

逆説的なのは（人生の二面性に関わるすべての事柄と同じように）、条件や理由もなく何かを創造するとき、私たちが望むあらゆるポジティブな感情を実際にすぐに得られるということです。

無条件の創造とは、別の目的のためではなく、純粋にただそれを創造したいから創造することです。それは、お金や名声、愛など他の何かのためではありません。私たちは単にそれを創造したいから創造するのです。これは豊かな状態からの創造です。この状態から創造するとき、私たちはすでに満足感を覚えており、その瞬間、私たちは自分が感じたい愛をすべて感じているのです。

無条件の創造を追求できるのは、考えていない状態のときだけです。

脳は、ただやりたいから何かをするのは無意味だと私たちに思い込ませようとしますが、実はそこに鍵があります。ただやりたいという理由だけで物事を行えばすぐに、私たちは無条件に生きる領域に到達できます。このとき、私たちはフロー状態や一体感を経験するのです。

Chapter

11

安らぎや喜びを得たら、次は何をすべきか？

考えてはいけない。考えることが物事を複雑にする。ただ感じることだ。
そして、家でくつろいでいるような気分になれたら、その道を進むのだ
――ロバート・M・ドレイク（作家）

もしあなたがこれまで本書で紹介してきた原則を取り入れてきたなら、考えないことによって安らぎを見いだしているでしょう。もしそうでない場合は、ネガティブな感情はすべて自分の思考から生じていることを、どうか思い出してください。あなたはその事実を意識するだけでいいのです。そうすれば、泥水の泥が底に沈むように、思考を落ち着かせることができます。それが単なる自分の思考であり、恐れることは何もないとわかれば、今の暮らしのなかで真の安らぎを得られるでしょう。

安らぎを得られると、次に何をすべきかわからなくなる場合もあります。

この時点で、あなたは心配や不安、疑いを抱いているかもしれません。私のクライアントの多くが（かく言う私も）、この世で何かを成し遂げる活力や意欲を失ったのではないかと、そのとき思い始めました。でも心配はいりません。これはすべてごく自然なことであり、気づきのプロセスの一部なのです。

あなたは最も難しい部分をすでに学びました。それは、考えないことを実践し、ネガティブな思考に人生を支配されないようにすることです。

安らぎを得た後に心配や不安、疑いを抱くのは、この世界で自分が知っていると思っていたことをすべて手放したからです。実際に起きたのは「個人的なエゴ（思考）の死」です。個人的なエゴが脅かされると、自然な成り行きとして、エゴが全力を挙げてあなたの人生に対する支配力を取り戻そうとするのです。

ネガティブな感情を生む唯一の原因

エゴを完全に手放すことは永久にできません。そのため、安らぎを得た後でも、疑いや心配、不安といった感情が湧き上がることがあります。その瞬間、エゴが蘇り、あなたに対する支配力を取り戻そうとするのです。

でも心配はいりません。自分の思考がネガティブな感情を生む唯一の原因だと思い出すことによって、自らのエゴを直ちに手放す方法をあなたはすでに学んでいるからです。

大切なのは、思考が頭の中に入り込むのを防ぐことではなく、ネガティブな感情を引き起こしているのは自分の思考にすぎないとすぐに思い出せるようにしておくことです。思考は私たちに深く根付いているため、生じないようにするのは不可能です。

たとえば、散歩の途中で毒ヘビを踏みそうになっていることに突然気づいたとき、パニックを起こすのは人として当然のことです。

しかし、それがただのロープだとわかると、勘違いに気づき、思い込みで怖がっていただけだと納得して、美しい小道の穏やかな散歩を再開できます。最初の反応を防ぐことはできなくても、私たちはいつでも真実を思い出して、自然の安らかな状態に戻ることができるのです。大事なのはそれだけです。

いったん安らぎを得てもまた不安や心配、疑念を抱く場合があるもうひとつの理由は、四六時中考えている間に膨大なエネルギーを使っていたからです。

ほとんどの人が一日の大半をストレスに満ちた（考えている）状態で過ごし、莫大なエネルギーを消費しています。

私たちが考えるのをやめると、考えるために使っていたエネルギーが「解放」されますが、そのエネルギーはまだどこにも向けられていません。そこで何が起こるかというと、私たちは元のパターンに戻って、そのエネルギーを再び考えること（思考）に費やそうとします。私たちがそう条件づけられているからです。

この場合、私たちにできることは、新たに確保されたエネルギーをインスピレーションから生まれる目標に向けることです。これは、そのエネルギーが再び考えすぎることに使われるのを防ぐ方法です。

これをうまく行うには、ある程度時間をかけて（切羽詰まった状態からではなく）インスピレーションから生まれる目標を立て、この現象が起きたらすぐに全エネルギーを向けられるよう、その目標が真っ先に思い浮かぶようにしておくことです。もし頭の中に切羽詰まった状態で立てた目標しかなければ、その目標にエネルギーを向けることによって、思考とネガティブな感情を長引かせるだけです。

この段階にいる多くの人にとっては、「朝一番の習慣」を持つことも役に立ちます。朝一番の習慣とは、考えていないフロー状態に入るのを助ける朝のルーティンです。こうした習慣があれば、朝起きてすぐにポジティブな方向に向かう勢いをつけられるため、その日一日考えない状態を維持しやすくなります。私は考えないことと勢いのパワーを理解して初めて、偉大なリーダーの誰もが朝のルーティンを決めている理由がわかるようになりました。

ここで良い知らせがあります。あなたのすべてのエネルギーは、もう思考に縛られていません。ですから、この解放されたエネルギーをインスピレーションから生まれる新しい目標づくりに向けることによって、あなたは自分自身を活気づけ、安らぎや喜び、愛に満ちた新しい人生へと駆り立てることができるのです。

Chapter
12

物事に良いも悪いもない

ものの良し悪しは考え方ひとつで変わる

――ウィリアム・シェイクスピア（劇作家・詩人）

物事に良いも悪いもないこの言葉を理解するのに役立つ例え話を紹介します。

ピアノには88鍵の鍵盤があります。私たちがピアノを見ているとき、何の理由もなく特定の鍵盤を指して、その鍵盤が「間違っている」とは言いません。特定の鍵盤が「間違っている」と考えるのは、誰かがある曲を演奏していて、その曲に含まれない音の鍵盤を弾いたときだけです。

そもそもピアノに間違った鍵盤などありません。続けて演奏されているときに、より心地よく聞こえたり聞こえなかったりする鍵盤や音色があるだけです。

ピアノに間違った鍵盤がないように、人生に間違った決断はありません。私たちを心地よい気分にさせたり、不快な気分にさせたりする思考があるだけです。私たちが物事を正しいか間違っているか、良いか悪いかというバケツに入れるとき、人生に二元性や条件を生み出し、それが私たちの感じ方を左右するようになるのです。

たとえば、対立政党は間違っている、または悪いと信じていると、私たちの中に敵意が生じ、ネガティブな感情がつくり出される場合があります。

一方、ピアノにさまざまな鍵盤があるのと同じように、もともと「間違った」政党はないという視点からさまざまな政党を見ると、その瞬間に心が開かれて、愛や喜び、安らぎを感じることができます。今まで理解できなかった別の見方がわかるようになり、人生の本質に関する理解を深める機会が得られます。

それは、山でハイキングをしているときに、特定の場所に立ち止まって美しい景色を眺めるのに似ています。

私たちが立ち止まって自然の素晴らしさを満喫するのに「間違った」場所はありません。立ち止まって景色が見られるすべての場所を受け入れることで、これまでに試したことのないさまざまな景色を楽しめるようになります。

真実は主観的なものではない

世の中にある正誤や善悪を探すのではなく、真実を探しましょう。自分たちが正しくて相手側が間違っていることや、相手側がいかに優れていて自分たちがいかに劣っているかを証明しようとするのではなく、目の前にあるものの真実を探しましょう。

多くの人が、自分の考えていることが真実だと思い込んでいます。私はこの事実を指摘し、警告したいのです。人生について、このような深い理解を持たずに考えていることの大半は、たとえそれが真実のように見えても、たいてい真実ではありません。

本当の真実は主観的なものではありません。

ある人にとって真実でも、別の人にとってそうでない場合、それは普遍的な真実ではありません。それが誰であるか、どこの出身か、どのような経歴の持ち主かに関係なく、地球上のすべての自覚的な人にとって普遍的に真実であることを見つけてください。それが本当の真実であり、その中にあなたが探し続けてきたすべてを見いだすことができます。

真実を見つけることができる唯一の場所は、あなた自身の心の奥であることを忘れないでください。自分の外側に探しに行こうとしてはいけません。

ネガティブな感情をかき立てるような状況に直面したら、自分の内面を見つめて、心の奥にある普遍的な真実の源を見つけてください。外側に答えを探そうとしたり、自分の感情の根源について外的な理由を探ろうとすると、永遠に探し続けることになり、真実は決して見つかりません。

ネガティブな感情は、考え違いがあることを示しています。私たちがネガティブな感情にとらわれるのは、自分の考えていることを信じ込んでいるからです。この瞬間、私たちは自分の経験がどこから生じているのか、自分の思考がネガティブな感情の原因であることを単純に忘れています。

あなたがしなければならないのは、思考が自分の感情の根本原因であると思い出すことだけです。それを意識できたら、思考と格闘してはいけません。悪い感情を引き起こしているのは自分の思考であることを意識して、愛をもって歓迎すれば、その思考は目の前でゆっくりと消えていきます。その後ほどなく、あなたは安らぎや愛、喜びに満ちた自然の状態に戻れるでしょう。

Chapter 13

「自分のすべきこと」を考えずに見つける方法

直感的な心は神聖な天賦の才能であり、理性的な心は忠実な召使いだ。私たちは召使いをあがめ、天賦の才能を忘れ去った社会をつくってしまった

——アルバート・アインシュタイン（物理学者）

前の章では、この世に正しいものも間違っているものもないことについて説明しました。本章ではさらに理解を深め、考えずに、自分のすべきことが何かを知る方法を明らかにするために話を進めていきます。

ピアノに間違った鍵盤がないように、正しい決断も間違った決断もありませんが、前後関係によって、他のものより心地よい決断や「鍵盤」はあります。それでも、正しいものも間違っているものもないと理解しておけば、「正しいものを選ばなければならない」という大きなプレッシャーから解放されます。

決断を下すときは、考えていない状態で行うべきです。思考を巡らせたり、分析したり、メリットとデメリットのリストを作ったり、(ペットを含む)みんなに助言を求めたりすると、決断するまで不安とフラストレーションを抱えることになります。

ほとんどの場合、私たちは心の奥では、どんな状況でも、何をすべきかわかっています。これはよく勘や直感、内なる知恵と呼ばれます。私たちは自分の直感が正しいかどうか外の世界に確認を求めようとしますが、それによってネガティブな感情が湧き始め、みんなの意見に振り回されて頭が混乱することになります。

あなたが何をしたいのかがわかるのはあなただけです。他の誰にもわかりません。あなたはどこかで自分を導くことができるメンターやコーチに出会うでしょうが、最も優秀なメンターやコーチは、直感に耳を傾けて、自分の中に答えを探すようあなたを指導します(真実はあなたの中にしかありません)。心の奥では自分のすべきことがわかっていながら、それを無視して他人の助言や意見を聞いて後悔した経験が、ほとんどの人にあるはずです。

直感はどんなときも必ず、行くべき場所やとるべき行動へとあなたを導きます。それは、目的地までの道の途中に障害物があったときに、どのタイミングで迂回すべきか、どの道を通るべきかを教えてくれる体内ＧＰＳのようなものです。

体内ＧＰＳが私たちを目的地に正しく導くことは確実ですが、どのように、どの道を通ってたどり着くよう指示するかはわかりません。目的地までの道中でさまざまな状況が起こり得ますが、体内ＧＰＳが目的地まで導いてくれることについては安心していられます。

重要な注意事項

社会は、それがすでに主流の考え方でない限り、私たちの直感を追認することはほとんどありません。そのため、自分にとって真実だとわかっていることについて外に確認を求めようとすると、ほとんどの場合、次にとるべき行動について激しい反発や反論に遭います。答えを外に求めるのはやめましょう。あなたの直感や勘、内なる知恵に従いましょう。

そうすれば、予想もしなかった、夢にも思わなかった奇跡があなたの人生に起こり始めます。このように行動する信念と勇気がある人は、人生の奇跡を味わいながら、探し続けてきた真の喜びや安らぎ、愛を見つけることができるでしょう。

では、どうすれば、考えずに、自分がすべきことを知ることができるのでしょうか？

実のところ、ほとんどの人は自分が何をすべきかわかっていながら、それを行動に移すことを恐れています。

たとえば、体重を減らしたい場合に何をする必要があるか、ほとんどの人がちゃんと把握しています。体重を減らす方法は、ロケット科学でもなければ、象形文字で書かれているわけでもありません。摂取カロリーを上回るカロリーを燃焼し、運動して身体に良い食事を摂りさえすれば体重が減ることを誰もが知っています。

人生のあらゆる場面で、心の奥では自分が何をすべきかほぼわかっていながら、行動を起こすのを恐れているか、それを行うには力不足だと考えているのです。

まず、自分が何をすべきかすでにわかっていること、恐れや自己不信のせいで何をすべきかわからないと思い込んでいるだけであることに気づくべきです。その状況に対して恐れや自己不信を抱いていないのに何をすべきかわからない場合、次に必要なのは、内なる知恵（無限の知性）が、あなたに答えを授けてくれると信じることです。私たちは無数の考えにアクセスする能力を持っているため、どんなときでも自分にできることのアイデアが尽きることはあり得ません。この豊富な知識へのアクセスを妨いでいるのは、自分自身の思考だけです。

ヘンリー・フォード（訳注：自動車大手フォード・モーター社の創業者）はかつてこう言いました。「あなたができると思おうとできないと思おうと、どちらも正しい」。

ただ、自分にはできないと考えながら生きていると、どんなときも、自分にできることの無限の可能性から自分自身を直ちに遮断することになります。しかし、頭の中のブレーキを解除して、自分をためらわせているのは自分の思考にすぎないと気づけば、おのずと無限の可能性にあふれた自然の状態に戻り、その瞬間に、自分が必要としているやるべきことについての答えを受け取れます。

つまり、自分はすでにわかっているということに気づきましょう。もしわからない場合は、わかる必要があることは必ずわかると心に留めておきましょう。

自分には必ずわかると思っていれば、わかる必要があることは必ずあなたにもたらされます。自分の直感と内なる知恵を信じてください。そう信じている限り、直感と内なる知恵は必要なときにあなたのそばにあり、これからも必ずそこにあり続けます。

Chapter 14

直感に従う方法

自分の心と直感に従う勇気を持とう。心と直感はあなたが本当は何になりたいのかを、どういうわけかすでに知っている。それ以外のことはすべて二の次でいい

——スティーブ・ジョブズ（元アップル最高経営責任者）

以前の章で、世の中で成功するために考える必要はないこと、成功する方法は自分が巡らせている思考を止めることだと説明しました。フロー状態は、周囲のあらゆるものと純粋に一体化し直接つながっている状態です。この状態にあるときは境界がなくなるため、無限の知性と直接連携している状態とも言えます。

思考は、こうした神聖なるものと私たちとのつながりを遮断し、ストレスやフラストレーション、怒り、恨み、憂うつなど、多くの人が日常的に抱くあらゆるネガティブな感情を引き起こします。一部の宗教が、「地獄」は神から完全に切り離された状態だと説いて

いるのはそのためです。

これ以降は、単純化するために、フローの代わりに「無思考」という言葉を使いますが、本書ではこれらの言葉をまったくの同義語として扱います。無思考の状態は、「無限の知性」と直接つながっていることも意味します。

無思考の状態あるいはフロー状態は自分の好きな特定の活動に関係しており、そういう活動をしているときにだけフロー状態に入れると多くの人は考えています。しかし、これは事実と大きくかけ離れています。私たちはどんなときも無思考の状態になることができます。

ただ、本当に無思考の状態になれるのは、いまこの瞬間だけです。私たちは、いまこの瞬間の現実しか見ることができません。能動的に考えているときは、(存在しない)過去か未来のいずれかに心を置いています。いまこの瞬間にしか真実は見つかりません。すべての精神的指導者《スピリチュアルマスター》やリーダーが必ず瞑想や祈り、いまこの瞬間に心を置くことを教えるのはそのためです。聖書では、モーセが神に名を尋ねたとき、神は「私はある」と答えます。

神は、私はあった、私はあるだろうとは言わず（過去と未来は存在しないため）、ただ「私はある」と答えるのです。神、真実、自由、安らぎ、喜び、愛（これらの言葉はすべて同義語です）は、いまこの瞬間にだけ見つけることができ、体験することができるのです。

直感に従っているとき、それは自分を信頼し、人生のあらゆる状況を通して自らを導く内なる知恵が常にあると信じている状態です。これが無思考の状態、つまりフロー状態です。

この概念を実践し、日常生活に取り入れる方法を探ってみましょう。自分の直感と内なる知恵に従うというのはどのようなもので、どうすればそれができるのでしょうか？

直感に従っているとき、あなたは自己よりも大きな存在と完全に一体化しています。あなたは無思考（フロー）の状態にあり、神と直接つながっているのです。この状態にあるとき、あなたは常に考えずに何をすべきかがわかっていて、「無限の知性」に導かれています。この状態にあるときは、個人的な自己の感覚を失い、人生と一体になっているため、ほぼ何もしていないように思えます。そして、どこからともなく商談が舞い込んだり、人がちょうどいい場所にちょうどいいタイミングで現れたり、お金がまさに必要なときに入ってきたり、探し求めていたつながりが自然に訪れたりといった奇跡が起こり、人生がまるで魔法のように感じられます。

自分のまわりで時間が歪んでいるような気がしますが、それは時間の感覚がないからです。また、他の人がひと月かけて行うよりも多くのことを数日で成し遂げることもあります。豊かさ、愛、喜び、安らぎ、調和、感謝は、この状態にあるときに抱く必然的で切り離せない感情です。

誰もがこのように感じる出来事を経験しているはずです。ただ、この現象を経験している人は多くても、それを長期間持続できる人はほとんどいません。その主な理由は、大半の人が思考に逆戻りし、それを自分で「解き明かす」必要があると思い込むからです。考え始めると、こうした奇跡のような出来事や状況を生み出す力は失われます。

実際は、こうした現象をすべて解き明かす必要はありませんし、私たちがすべてを理解する必要もありません。私たちの限りある頭脳で世界全体を理解して願望どおりに操るなど、どうしてできるでしょうか？

自分が神よりも多くのことを知っていると考えたとき、問題にぶつかります。

ありがたいのは、私たちが神よりも多くのことを知る必要もなければ、考える必要さえないということです。私たちは自分の直感を信頼し、自らの内なる知恵が自分にとって最善の道を示してくれるという信念を持つだけでいいのです。

最も豊かで、喜びにあふれ、成功している人々に、どのようにしてそれを実現したか尋ねると、たいていの場合、自分の成功は何らかの大いなる力や運のおかげだと答えます。こうした人たちは自分よりも崇高な存在を信じているため、自らの成功を純然たる意志力や物理的な力によるものとは考えず、そうした崇高な存在のおかげだと考えるのです。

人生はまったく手に負えないことばかりで、実際にコントロールできるのはほんの一部にすぎません。

とはいえ、人生はコントロールできないからお手上げだと言っているわけではありません。その真逆です。**すべてをコントロールして思いどおりに事が運ぶようにする必要はな**

いと気づけば、苦しみや痛み、フラストレーションから解放されます。物事が私たちに起こるのではなく、すべてが私たちのために起こるようになる無思考の状態に到達します。私たちが今の自分になれるよう、あらゆるものが自分の人生に完璧に配置されていること、もし何かひとつが違えば、今持っているものをおそらく手にしていないであろうことに気づき始めます。

私たちが今いる場所にいるために、何百万もの小さな状況や出来事が細部まで精緻に調整される必要があったのです。それを計画するのは不可能であり無駄なことですが、それでも私たちはここにいます。これは人生の奇跡なのです。

思考を手放すことで幸せが手に入る

人生で起こる物事をコントロールする必要はないという、先ほど述べた点に話を戻しましょう。その前に、強調しておきたい注意事項があります。

人生で起こる物事をすべてコントロールするのは確かに不可能ですが、考えるかどうか（これは私たちが抱えるすべての問題とネガティブな感情の根本原因です）については自分でコントトロールできます。私たちはいつでも望むときに人生経験を変えること、そのときの感じ方を変えることができます。**自分の思考を手放す選択をすることによって、私たちは幸せであることを選べるのです。**結局はそれこそが究極的に重要なことではありませんか？　成功や喜び、充実感の真の尺度は、私たちが手にしているものではなく、心の中でどう感じているかです。

もうひとつ指摘したい点があります。私たちにはコントロールできないことがたくさんありながらも、人生に何を望むかについては決定権があります。しかし、その実現方法については必ずしも決定権がないということです。

たとえば、私たちには想像力（「無限の知性」へのアクセス）という才能があり、それは人生で望むものを何でも思いつくことができることを意味します。これは素晴らしい神の恵みですが、それを実現する方法を解き明かさなければと考えたとたん、物事がうまく運ばなくなります。

この時点で、大半の人が諦めるか、その望みを何とか叶えようと力任せに歩み続け、日々苦しむことになります。人生で望むもののためには懸命に努力して苦しまなければならないと誰もが思い込んでいるからです。

しかし、それは事実にまったく反しています。苦しむのは、人生で望むものを手に入れる方法を解き明かさなければと考えたときだけです。**私たちがすべきことは、自分が望むものを思いつくことであり、それを手に入れる方法を解き明かすことではありません。**実際に方法を決めるのは宇宙という大きな存在です。しかし、いずれにしろこれは最良のシナリオです。人生で望むものを実現する方法は無数にあり、私たちの小さな限りある頭脳でそれを解き明かそうとしても無駄だからです。

すべてを解き明かそうとしても苦しむだけですが、その必要はありません。こういうときこそ、自分が望むものを明らかにするために何をする必要があるのか、リアルタイムで教えてくれる直感と内なる知恵に頼るべきです。事前にすべてを解き明かそうとする必要はありません。**私たちの役割は、自分が望むものを頭に思い浮かべ、無思考の状態になる**

ことです。それによって、自らの「無限の知性」にアクセスできるようになり、まさに必要なときにその答えが明かされるのです。

進むべき道は、私たちが歩き始めたときに初めて明かされます。すべての道筋があらかじめ私たちにわかるように明るく照らされていることは決してありません。そうであれば信念の必要性が完全になくなります。道筋があらかじめわからないからこそ、何かを実現しようとするときには信念と信頼が最も重要になるのです。

私たちは自分が創造したいものが形になるという揺るぎない信念を持たなければなりません。しかしそれは実現するまでの流れを調整する宇宙の働きに全幅の信頼を寄せることで初めて可能になります。私たちは人生で望むものを常に手に入れることができます。ただ、それが実現する時期や方法は自分の望みどおりではないかもしれません。

私たちの直感と内なる知恵は、実はいつでも私たちに語りかけています。あなたが何をすべきかを常に知っている内なる小さな声の存在にあなたは気づいていますか？　それは、今の仕事を辞めよう、あなたを傷つけた相手を許そう、誰かをデートに誘おう、誰かと再び連絡をとろう、といった内容かもしれません。

これは何をする必要があるのか本当はわかっているときに働く勘です。あなたの本能が何かをするようにささやいたとき、行動に移さずに後悔したことはありませんか？　何かをしようという勘が働いて、論理的根拠はなかったものの、とにかく行動に移し、のちに驚くべきことが起きた経験はありませんか？　**それがあなたの直感です。**

直感は論理的な考えに反することが多い

直感は考えの形で現れますが、以前の章で述べたように、「考え」と「考えること（思考）」の間には大きな違いがあることを思い出してください。

考えは、本質的に神聖なものであり、どこからともなくふと頭に浮かんでくるように感じられます。一方、思考は私たちが自力でつくり出す意識的で大変な作業であり、非常に重く感じられて、たいていネガティブな感情を伴います。

「無限の知性」から神聖な考えを授かるときは、その考えに対して納得感があります。そこには真実が含まれており、心の奥でそれが正しいことがわかっているからです。直感はほとんど論理的でも合理的でもないように思えるでしょうが、それはまさに望むところでしょう。私たちはそもそも直感が予測可能であることなど望んでいないのですから。もし直感が予測可能なら、それは奇跡ではありませんし、本質的にすべてが自然発生する宇宙の無限の可能性もそこには含まれていないでしょう。

直感はほとんどの場合、論理的で合理的な考え方に反します。それは心得ておきましょう。

たとえば、直感はあなたに、カフェで見知らぬ人に話しかけるべきだとささやき、のちにその人と素晴らしい友情を結ぶことになる場合もあります。直感はあなたに、ある友人に電話をかけるべきだとささやき、実際電話で話すとその友人はつらい時を過ごしていて、誰かにそばにいてほしかったことがわかる場合もあります。

また、直感はあなたに天賦の才能を使って生き、あなたが知る物事の真実を分かち合うために世の中に尽くすようにささやきます。直感は、他人が押し付けるあなたの望みに従うのではなく、あなたが人生で心から望むものを追求するようにと優しく合図します。

これらは直感があなたに語りかける無数の方法のほんの一例ですが、その声に従えば、あなたの想像を絶するような奇跡と豊かさが必ず生まれるでしょう。

直感では常に何をすべきかがわかっていて、それに従えば必ず豊かさが生まれるのであれば、なぜもっと多くの人が直感に耳を傾けないのでしょうか？　それは恐れが理由です。

自分の直感に耳を傾けることが恐かったり、とても気が重かったりする場合があります。これは私たちの直感が未知の領域にあるからです。言い換えると、直感は精神的なものであり、本質的に未知の領域である無限の可能性の領域で働きます。

私たち人間は、何が起こるか予測できないため、未知のものを常に恐れます。しかし、未知の領域に足を踏み入れて初めて、人生がもたらす無限の可能性を経験できるのです。自分の直感を信じているときに魔法のような出来事や奇跡が起きるのはそのためです。私たちは文字通り、純粋な可能性の領域に足を踏み入れているのです。

ですから「何を」実現したいのかさえわかっていればよくて、「どうやって」実現するかを知る必要はありません。

この奇跡の空間に入ることができる唯一の方法は、考えないことです。考えたとたんに、私たちはこの空間から追い出され、不安や心配、苦しみの状態に入ります。

私たちの思考は、過去を基に何が起こるかを予測しようとします。ですから、ほとんどの人がいつもの答えと同じような答えしか得られません。無思考の状態に入って直感に耳を傾けることにより、未知の領域に足を踏み入れなければならないと気づかないまま、個人の頭脳の範囲内で過去に経験したことのないものをつくり出そうとする人がほとんどです。無限の可能性の領域でしか、経験したことのないものをつくり出すことはできません。それを実現するには、今までに行ったことのない未知の領域に行くしかないのです。

つまり、あなたの直感はいまこの瞬間に何をすべきかを常に知っていますが、直感にアクセスするには無思考の状態に入るしかないということです。

無限の可能性（未知）の空間に足を踏み入れることになるため、あなた個人の頭脳は動揺しますが、自分を怖がらせているのは思考にすぎないことを思い出せば、恐ろしい思考は消え去り、直感に従って行動するために必要な勇気がおのずと湧いてきます。

この瞬間、次に何が起こるのかわからなくても（それは人生の冒険と喜びにほかなりませんが）、人生を導く内なる知恵（神）を信じなければなりません。未知のものは、あなたが人生で望むものを――もしまだ手にしていなければ――実現する唯一の手段でもあります。自分が持たないものを手に入れるには、今までしたことのないことをしなければなりません。

直感で動いているとき、常に恐れを感じるわけではありません。恐れは、あなたの思考が恐れを中心に巡っている間だけ現れます。その恐れを認めて、こうした感情を引き起こしているのは自分の思考にすぎないと理解すれば、その思い込みは消え去り、あなたは安らぎや喜び、純粋な愛を取り戻せます。そこはあなたが留まるべき空間であり、その空間でこそ、自らが想像し得るあらゆることを実現するための前提条件である、ポジティブな感情を生み出すことができるのです。

Chapter 15

奇跡が起こるための余白をつくりだす

今日、私は奇跡が起こるための余白をつくる。大事なのは、奇跡の大きさではなく、奇跡が起こるための余白をどれだけつくるかだ

――カイル・グレイ（作家）

禅師と学者の物語――茶碗を空にする

昔々、賢明な禅師がいました。人々はその禅師の助けを求めてはるばる遠くから訪ねてきました。その見返りに、禅師は人々に教えを説き、悟りに至る道を示しました。ある日、一人の学者が助言を求めて禅師のもとを訪ねてきました。

「禅について教えていただきたくて参りました」

と学者は言いました。

ほどなくして、学者の頭の中は彼自身の意見と知識でいっぱいであることが明らかになります。学者は自分の話で禅師の説教をたびたび遮り、禅師の話に十分に耳を傾けませんでした。そこで、禅師はお茶を飲むことを穏やかに提案しました。

禅師は学者の茶碗に静かにお茶を注ぎ始めます。茶碗がいっぱいになってもなお注ぎ続け、茶碗からお茶があふれ出してテーブルや床にこぼれ落ち、ついには学者の上着にかかってしまいました。

「やめてください！　茶碗はもういっぱいです。見えないのですか？」

と学者は叫びました。すると禅師は「おっしゃる通り」と笑顔で答えました。

「あなたはこの茶碗のようです。知識でいっぱいで、これ以上何も入りません。茶碗を空にしてから私のところへ戻っておいでなさい」

「無」について多くのことを書けるというのは皮肉なことです。それこそが余白、つまり「無」なのです。

宇宙と量子物理学を学ぶと、すべての始まりは「無」であることがわかります。そのため、偉大な精神的指導者《スピリチュアルマスター》は、これを「大いなる無」と呼びます。創造するには、まず余白がなければなりません。同じことが私たちの頭の中にも当てはまります。

新しい考えなど、何か新しいものを生み出したい場合は、まずは余白をつくり出して、人生を変えるような新しいアイデアを受け取れるようにしなければなりません。茶碗の例えのように、あなたの頭が従来の思考でいっぱいだと、あなたが求める変化を生み出す新たな考えが頭の中に入ってくることができません。

考えないことによって、この余白をつくることができます。考えようとする猛烈な努力をやめたとたん、新しい考えやアイデアが頭に入ってくるための余白が生まれます。自分の今の考え方に疑問を呈する質問も、頭の中に余白をつくるのに効果的です。

すべての魔法はこうした何もない余白の中で起こります。たとえば、優れたアスリートは集中的にトレーニングする時間を設けますが、最高のアスリートは、最高のパフォーマンスを維持するためには、トレーニング後に同じだけ集中的に休息する時間が必要であることを知っています。アスリートが回復し、筋肉を増やし、より強靭になるのは、この休息している時間です。休息によってアスリートが自らのためにつくり出すこの余白で、彼らがトレーニングに求めるすべての効果が現れるのです。

トーマス・エジソンは、とりわけ困難な問題に直面したときは、両手に鉄球を持った状態で椅子に座ったまま眠りました。やがて深い睡眠に入って鉄球を落とし、その音で目が覚めたところで、問題の解決策が頭に浮かんだといいます。すべては無から生まれます。エジソンは、自分の従来の考え方で問題を解決しようとするのではなく、新しい考えが頭に入ってくるための余白をつくるということの概念を理解していました。従来の考え方では自分の問題の解決策は見つからないことをエジソンは知っていたのです。

「問題は、それをつくり出したときと同じ意識レベルでは解決できない」

——アルバート・アインシュタイン

アインシュタインは、エジソンと同様に人とは異なる風変わりで謎めいた行動をとっていましたが、余白をつくることについて、エジソンと同じような理解を持っていました。

アインシュタインは難しい問題で行き詰まったとき、その問題に取り組むのを中断して、バイオリンを弾きました。弾いているうちに、どこからともなく答えが浮かび、問題の解決策を見いだしたといいます。アインシュタインは、神聖なメッセージをダウンロードできるように、考えないことによって頭の中に余白をつくっていたのです。

私たちはすべてを解明しようとする必要はありません。私たちが天才と見なす人たちでさえ、この世で最も偉大な発見をするために張り詰めた状態で懸命に頭を悩ませ続けたわけではないのです。よって、私たちがそうしなければならない理由はありません。私たちもこうした天才たちと何も違わず、誰もが同じ「源」とつながっています。このことを正しく理解すれば、私たちも直面する問題について知見を受け取ることができます。考えや知見、アイデアひとつで、まったく違った経験をしながら生きることができるのです。

問題に直面したときに、神聖なメッセージをダウンロードするためのプロセスをここで紹介します。

1. 思考がすべてのネガティブな感情の根本原因であることを意識します。

2. 自分個人の頭脳から意識的な思考を手放すことによって余白をつくり出し、内なる知恵（無限の知性）から答えを授かることを心から信じます。いつどうやって答えを授かるかは委ねましょう。

3. 思考を手放したときに生じる感情を意識し、愛や安らぎ、喜びといった感情を称えましょう。直面している物事に愛をもって向き合うと、答えがおのずともたらされます。

これがあまりにも単純に思えるなら、それは良いことです。真実はいつでも単純だからです。これは単純かもしれませんが、必ずしも「簡単」ではなく、最も偉大な精神的指導者《スピリチュアルマスター》でさえ時に苦労します。大事なのは、自分の思考にとらわれたときではなく（それは避けられません）、再び考えていることに気づいたときにどうするかです。考えていることしか感じることができず、思考がすべての苦しみの根本原因であることを絶えず心に留めている限り、あなたは自由なのです。

Chapter 16

考えない生活を始めると起こること

他人の振る舞いにあなたの心の平穏を乱されてはならない

——ダライ・ラマ（チベット仏教の指導者）

考えない旅を続けていると、その途中で何らかの障害にぶつかるのは避けられません。あなたがそうした障害に出くわす前に、その対処が少しでも楽になるように、想定される問題をいくつか挙げておきます。

考えない生活を始めると、心配事やストレス、問題をそれほど抱え込まずに毎日を過ごせるようになります。自分が物事を問題とみなさなくなれば、それは文字通り自分にとって問題ではなくなるため、その多くが目の前から消えていきます。あなたはこうした安らぎや落ち着きをこれまでの人生で感じたことがなく、なじみのない感覚を覚えるでしょう。

私たち人間は、生物学的に、なじみのないものを好みません。それは不確実性を意味するからです。皮肉なのは、一日の大半をとても幸せに心穏やかに過ごしているときに「何かおかしい」と考え始める人がほとんどだということです。多くの人が自分のことを生産性が落ちている、「精彩」を欠いている、あるいは単純に怠惰になったと感じ始めるのです。これは真実とかけ離れています。あなたの脳が自ら感じたい「安全」の幻想をつくり出そうとして、再び考え始めようとしているだけです。

実際は、幸せで何も考えていない無思考の状態にあるとき、私たち人間は最も生産性が高まります。純粋な喜びに満ちているとき、時間は飛ぶように過ぎていきます。作業は楽になり、パフォーマンスは向上し、周囲の人を惹きつけ、たくさんの豊かさを引き寄せて、どこからともなく奇跡が起こり始めます。こうした奇跡を体験するには、十分に長く無思考の状態でいる必要があり、その間は思考に戻ってはいけません。

このとき一番重要なのは、何事もうまくいくと信じる気持ちです。宇宙はあなたにとって不利にではなく有利になるように働いていることを知っておきましょう。起こることにはすべて理由があり、人生には失敗などなく、私たちが成長するための教訓と機会があるだけです。私たちは未知の領域を信頼しなければなりません。それは、今私たちが過ごしている人生とは違うことが起きる可能性を秘めた唯一の場所だからです。

未知の領域は、あなたが人生に望み得るものすべてを含む、あらゆる可能性が存在する場所です。**未知の領域に飛び込んで、それを恐れない勇気を持てば、あなたの人生は変わらずにはいられません。**

あまりに心穏やかで満たされすぎていて何かおかしいと感じ始めたら、それはあなたの頭脳が再び考えさせようとしているだけだと理解しておきましょう。頭脳は優れた営業マンであり、あなたを破壊的思考の悪循環に引き戻すために効果的な言葉が何か、よくわかっています。

この瞬間、あなたは未知の領域を信頼して幸福や安らぎ、愛といった感情にとどまるか、慣れ親しんだ痛みや精神的な苦しみという従来のパターンに逆戻りするかを選択できます。未知の世界で自由に幸せになるか、慣れ親しんだ世界に閉じこもって苦しむかを選べるのです。

たとえ思考に逆戻りしてもまったく問題ありません。そのことについて自分を責めないでください。罪悪感を持たないでください。自分を罰する必要はありません。それは思考を持続させるだけです。どうしても考えてしまうのが人間だと理解しておきましょう。

それでも、苦しみを引き起こしているのは自分の思考だと気づけば、それだけで安らぎや幸福、愛の状態に再び戻ることができます。あるがままに任せていれば、痛みも労力も伴わずに自然な状態へと移行できるのです。

Chapter 17

では、これからどうするか？

すべてが終わったと思うときが来るだろう。
だが、それは始まりなのだ

――ルイス・ラモール（作家）

本書はここで終わりますが、これはあなたにとって新しい人生の始まりです。

あなたは考えひとつで、安らぎや愛、喜びを得られるのです――その考えは何も考えていない状態からもたらされます。これは人生がどうしようもなく厳しい状態になったときに必要となる唯一の希望です。忘れずに心に留めておきましょう。

私は冒頭で、あなたはこの本を読む前と後では同じ人ではなくなると約束しました。もしあなたが柔軟で意欲的なマインドを持ちたいという思いからこの本を読み始めたのであれば、すでに人生の見方を大きく変えるような知見を数多く受け取っているので、あなたは以前とは同じ人ではありません。

一度ある見方から新しい物事を見ると、それを忘れることはできません。意識はいったん広がると、再び狭まることはありません。私たちは時にそのことを忘れ、再び考え始めて自分を苦しめることもありますが、それを思い出したとたん、自分が生命の広がり続ける意識そのものであることに気づき、その場で愛や安らぎ、喜びを見いだすことができます。

これがあまりに単純すぎて、そんなに単純であるはずがないと思える場合、それはあなたの頭脳があなたを再び考えさせているだけです。

真実は単純です。どこまでも単純です。物事を複雑に入り組ませるものは、あなたを真実からさらに遠ざけるだけです。真実は考えて得られるものではなく、あなたがすでに知っていて心の奥で感じているものです。これをすべて理解している内なる知恵に耳を傾けてください。内なる知恵に人生を導かせましょう。自分の心に耳を傾けているとき、私たちは最も満たされています。

世間は、私たちが不十分であるとか、何かが欠けている、望んでいるものをすべて手にしていないなどと言い続けるでしょう。まわりの人々は自分の意見や判断、助言を絶えず浴びせてくるでしょう。彼らには罪の意識はなく、思考にとらわれているだけだと理解し、その気遣いに感謝しながらも、その意見や助言が自分に必要なものだと勘違いしないようにしましょう。

あなたが望み、必要としているものはすべて、すでにあなたの中にあります。あなたは求めてきた愛や喜び、安らぎ、充実感をすでに手に入れているのです。その事実を忘れて思考にとらわれていると、それが見えなくなります。

完全に安らいだ状態で暮らし続けて、頭をよぎる思考を手放しましょう。この空間に長くとどまるほど、人生にたくさんの奇跡が訪れます。

あなたはこのメッセージを出会う人すべてに伝えることもできますが、その必要もないでしょう。あなたがまるで違っていることにまわりの人たちが気づくからです。あなたは輝きを放ち、活力に満ち、純粋な愛と喜びを振りまいているでしょう――そして、その理由と方法を誰もが尋ね始めます。あなたはもう、自分の精神的な苦しみを止めて、安らぎや愛、喜びといった状態にいつでも身を置くための方法をすべて身につけています。この方法を知って、自然な状態で生きる無上の喜びをすでに味わっているかもしれません。

あなたが本書を手に取り、私たちがここで旅を共にできることはまったく偶然ではありません。私たちが今こうして共にいるために起こる必要があったすべての出来事を導いた神のとりなしには、驚かされるばかりです。人生というこの限りなく美しい経験を導く機会をいただけたことは、実に身の引き締まる思いであり、とてつもない幸せです。

この章を終える前に、ひとつお願いがあります。この本が役に立った、知見に満ちていたと思われたなら、60秒ほど時間を割いてアマゾンにレビューを書き込んでいただければ大変光栄です。あなたの考えや知見、感想、個人的な旅など何でも構いませんので、ぜひお聞かせください。そこで共有された言葉は、あなたと同じように答えを探している多くの人たちに本書のメッセージを届けるのに役立ち、誰かの人生を変えるでしょう（何かを買う前にアマゾンのレビューを読まない人はいませんから！）。

私とさらにつながることに興味がある方は、hello@josephnguyen.org宛てにメッセージをお寄せください。どんなことでも構いません。人の話を聞くのは私にとって心からの喜びなので、ご自身の話を共有したい方のために受信箱は開けたままにしています。あなたからのメッセージをお待ちしています。

愛と光を込めて
ジョセフ

次の数ページには、本書で述べたことの多くを実践する際に役立つまとめと手引きを掲載しています。あなたの人生やビジネスを変えるためにこれらを活用するにあたり、さらなるサポートを得たいと思われる方は、ぜひ私のウェブサイト（www.josephnguyen.org）までアクセスしてください。どのようにお手伝いできるかを共に探っていきましょう。

考えないことについてのまとめ

●考えること（思考）はすべての苦しみの根本原因です。

●なぜネガティブな感情を抱くのかというと、自分自身の思考が原因であるという以外にありません。すべてが自分の思考に端を発しているため、問題の解決方法はきわめてシンプルです。自分の思考が感情を引き起こすことを理解すれば、思考を手放して、安らぎや愛、喜びという自然な状態に戻ることができます。思考を手放したとき、自分が感じたいあらゆるポジティブな感情が内面から生まれる余白がつくられます。

●私たちは現実の中ではなく、自分の思考によってつくられた現実に対する「認識」の中で生きています。

- 思考は私たちの経験の結果ではなく、その「原因」です。
- 私たちの頭の中の考えは事実ではありません。
- 私たちの思考は自分がそれを信じている場合にだけ私たちをコントロールできます。思考を信じるのをやめて、苦しみを手放しましょう。
- 私たちの感情は、真実に対する理解が不十分か、完全に明快なものかを知らせる直接的なフィードバックであり、生まれつき備わった体内誘導システムです。感情は真実に対する理解を深めるよう私たちを導きます。
- 考えていないとき、私たちはフロー状態にあります。
- 考えていないとき、私たちと宇宙や万物との間に境界はありません。「源」から自分自身を遮断し、万物から切り離されていると感じるのは（エゴの出現）、私たちが考えているときだけです。

●考えること（思考）と考えはまったくの別物です。「考える」というのは動詞、つまり行為であり、意識的な労力を必要とし、苦しみを引き起こします。一方、「考え」は名詞、つまり物の名前であり、自分から生まれるのではなく、宇宙からダウンロードする神聖なメッセージです。

●私たちが考えるのは、それが生存のための生物学的反応だからです。私たちの頭脳が考えるのは私たちを生かしておくためであって、その働きは私たちの心身の健康を助けるものではありません。それは安全と生存のみに関係し、充実感とは無関係です。考えることは、私たちが真の使命に従うことを妨げるネガティブな感情を引き起こし、私たちを「最高の自分」から遠ざけます。

●私たちの頭脳は個人的経験に縛られます。今の自分の能力を超えた知見や創造性、知識を獲得したければ、有限の頭脳よりも「無限の知性」に耳を傾けることを選びましょう。この真実の無限の源は、自分次第で誰でもいつでも利用できます。

●「普遍的知性」はこの宇宙のあらゆるもののエネルギーです。それは万物が形になる前の源であり、私たちを構成するものです。このエネルギーは愛、安らぎ、喜び、つながり、幸せといった感情を伴います。私たちは思考を手放すとこうした感情に戻ります。つまり、それが私たちの自然な状態なのです。

●私たちは常に同じ「無限の知性」という源につながっているため、いったん思考を手放すと、たとえこれまでに経験したことがなくても、新しい考えやアイデア、知見にアクセスできるようになります。私たちが自分の直感とこの「無限の知性」を深く信頼すればするほど、いつでも利用できる知見をたくさん受け取ることができます。

●安らぎや愛、喜びなど、あらゆるポジティブな感情は、私たちの人としての初期状態です。私たちが考え始めると、その自然な状態ではなくなります。それでも、ひとたび思考を手放すと自然な状態に戻り、あらゆるポジティブな感情を簡単に得られるようになります。

- 考えひとつ、知見ひとつで、私たちは意識を広げて、無思考の状態がもたらすより深い愛をいつでも感じることができます。

- 明快さは私たちの頭脳の本来の姿であり、私たちの初期状態です。物事が明快に思えなくなるのは、思考にとらわれているときだけです。思考を手放すと、安らぎや愛、喜び、穏やかな心といった「初期設定状態」に戻ります。

- 宇宙に存在する人やものにそれ自体間違ったものはなく、思考がそう思わせているだけです。あなたに不具合はないので修理の必要はありません。理解して心に留めておくべきことがあるだけです。それは、考えることが私たちの苦しみの根本原因であるということです。あなたは自分の思考について何もする必要はありません。

思考に対する理解を変えるだけでいいのです。そうすれば、あなたの思考や身体、知っていると思うことをすべて超えた、あなたの真の姿に戻ります。思考を手放したとたん、あなたは「無限の知性」と一体となって、あなたの本質であり常に手が届くところにある、尽きることのない豊かな愛、安らぎ、喜びを感じることができます。

●あなたが「無限の知性」のための余白をつくるとき、「無限の知性」はあなたのための余白をつくります。あなたが「無限の知性」を深く信頼すればするほど、「無限の知性」もあなたを深く信頼します。あなたがそのためにつくれる余白に限りはありません。「無限の知性」が働くための余白を人生や頭の中につくることを優先すると、あなたの人生は変わります。

考えるのをやめるための手引き

- 思考に陥りやすくさせるもの（闘争・逃走モードを引き起こすもの）を取り除きます。
- インスピレーションや高揚感を与えないものや行動を生活からできるだけ取り除きます。
- 何も考えない無思考の状態になれるような環境をつくります。
- 心穏やかに何も考えない状態で一日を始めるのに役立つ朝一番の習慣をつくります。そこから生まれる余白を利用して「無限の知性」から知見を受け取り、日々を乗り切る力にしましょう。

●一日の中に、気楽にリラックスできて、何も考えない状態に戻れる余白をつくります。そのために一日の中でできることを書き出しましょう。日記をつけたり、散歩したり、瞑想したり、ペットと遊んだり、昼寝したり、ヨガをしたり、リラックスできることなら何でも構いません。

考えるのをやめるためのフレームワーク

①考えることがすべての苦しみの根本原因であると認識します（思考の本質を理解します）。

●もしあなたが苦しんでいるなら、自分が考えていることに気づきましょう。

●考えること（思考）と考えの違いを理解しましょう。

●苦しみの根本原因を探そうとしてはいけません。考えることが苦しみの根本原因です。

② 持続するネガティブ思考のための余白をつくります。

- その存在を認め、ありのままに受け入れます。
- あなたは思考に伴う感情を保持する神聖な空間であって、感情そのものではないことを理解します。
- 思考と一人で向き合うことを恐れず、自分の意識に取り込む勇気を持ちましょう。思考を迎え入れて、その思考はただ受け入れられたいだけであることを理解します。
- ネガティブな思考は、それを信じている場合にだけ、あなたを支配できることを認識しましょう。
- その思考が自分の意識に存在することを認め、それに伴う感情に抵抗しなければ、感情の先を見越して、その背景にある真実を確かめることができます。

●すべての感情には真実の種が潜んでおり、それによって意識を深め、人生をもっと存分に味わうことができるようになります。

③思考を受け入れたら、それが通り過ぎるのに任せて、何にも執着せず、あるがままでいます。そうすると、安らぎや愛、喜びといったポジティブな感情が自然に湧いてきます。湧き上がる感情を存分に味わいましょう。ネガティブな感情がまだ持続している場合は、①に戻って、安らぎを感じられるまでこの手順を繰り返します。

想定される障害

①自分を今いる場所に導いたのは、その思考であると考え、思考を手放したがらない。

●これは事実ですが、あなたをここに導いたものは、あなたを別の場所へは導かないということに気づく必要があります。

苦しみの悪循環と、人生で繰り返してきた自己破壊的パターンを断ち切りたいなら、何か違うことをしなければなりません。同じことを何度も繰り返しながら違う結果を期待するのはばかげています。

問題は、あなたが幸せになりたいのかどうか。考えることがすべての苦しみの根本原因であることを理解したうえで、これ以上不幸でいたくないなら、考えないことへの信頼を思い切って高めることができるでしょう。

② 信じる気持ちが足りない

● 毎日が喜びや安らぎ、愛に満ちあふれた人生を送れるようになるには、まずそれが可能だと信じなければなりません。自分が自分よりもはるかに大きな存在――自分をずっと支えてきた生命力――の一部であると信じることも必要です。限られた頭脳では完全に理解できなくても、自分よりもはるかに大きな存在を信じることが、心配ばかりせず、意識的な労力を手放し、人生でこの上ない安らぎを味わえる唯一の方法です。

③恐れ

● 未知の領域でもある宇宙を信頼することに関しては、恐れはまったく正常な感情です。恐れは私たちにとって何かが非常に重要であることの表れであり、素晴らしい兆候です。私たちが望み得るものはすべて恐れのむこう側にあり、心の奥ではこれが真実だとわかっています。望むものをすべて手に入れるために私たちが乗り越えなければならない試練は恐れです。

恐れを克服する方法は、自分の心の奥を見つめて、何があっても大丈夫だと確かめることです。この恐れはあなたを殺すことはできませんし、殺すこともありません。でも、あなたが向き合わなければ、恐れは代わりにあなたのすべての夢を殺します。

考えることが恐れの根本原因です。考えなければ恐れはなくなります。恐れを克服し、制限のない人生とはどういうものか体験できるよう、「考えるのをやめるためのフレームワーク」の手順に従ってください。

考えていない状態かどうかを知る方法

もし考えていない状態でいられれば、あなたは安らぎや愛、喜び、情熱、興奮、インスピレーション、至福など、思いつく限りのポジティブな感情を一通り経験することができます。フロー状態に入ったように感じるでしょう。時間や空間の感覚に加え、自分自身の感覚さえ失います。人生と「一体」となっているように感じます。こうして、自分が考えていない状態を知ることができます。

振り返りを促す質問

10段階評価で、今日あなたはどのくらい考えましたか?（1を最低、10を最高とします。）

一日の何パーセントを闘争・逃走モードで過ごしましたか？　リラックスして落ち着いた状態で過ごせたのは何パーセントですか？

考えない環境づくりの手引き

あなたの環境は、考えない状態を促したり支えたりするものか、思考に陥りやすくさせるものかのいずれかです。

私たちは現実を内面からつくり出しますが、多くの場合、周囲の環境の影響も受けています。私たちは物質界に生きる霊的な存在なので、この3次元の世界から完全に切り離されることはありません。そのため、考えない状態を促す環境づくりが重要です。生産性を高める最善の方法は、より多くのことをしようとするのではなく、気を散らすものを排除することです。同様に、思考に逆戻りするきっかけになり得るものをできるだけ排除すれば、もっと簡単に何も考えていない心穏やかな状態にとどまれるようになります。ただ、自分自身を変えるのではなくまわりの環境を変えることによる効果は長続きしないということを覚えておきましょう。その両方を精緻に組み合わせることが、あなたが生きたいと願う美しい人生を築くために必要なのです。

思考のきっかけを取り除くためのフレームワーク

①思考に陥りやすくさせるものを確認する評価を実施し、リストを作成します。

A．頭に浮かんだものをすべて書き出しましょう。直感を働かせてまわりの環境にあるものが自分にとってプラスかマイナスかを体内のエネルギーで感じることが、この作業に役立つでしょう。落ち着いてリラックスした状態にあるなら、答えは明らかです。

B. 思い浮かばない場合は、何がきっかけで闘争・逃走モードに入る傾向にあるか、不安や考えすぎが起こるかを思い出してください。あなたをサバイバル状態に陥らせるものは、考えていない状態を維持するのに役立ちません。

C. まだ思いつかない場合は、1週間日記をつけて、闘争・逃走モードに入るきっかけになったと思われるものを書き出しましょう。週末には立派なリストができあがります。

②書き出したものをすべてカテゴリー別に整理します。

A. カテゴリーの例

I. 身体的健康

身体にとり込んだときに、闘争・逃走反応（不安、ストレス、考えすぎ）を起こしやすくするものは何ですか？（食べ物、刺激物、飲み物など）

Ⅱ．物理的環境

まわりの物理的環境の中で、闘争・逃走反応（不安、ストレス、考えすぎ）を起こしやすくするものは何ですか？

Ⅲ．デジタル環境

スマートフォンやコンピューター、テレビのどのようなアプリやプログラムが闘争・逃走反応（不安、ストレス、考えすぎ）を起こしやすくしますか？

Ⅳ．デジタル消費

どのようなメディアやコンテンツを消費すると、闘争・逃走反応（不安、ストレス、考えすぎ）を起こしやすくなりますか？

③すべてを分類し終わったら、リストを改めて整理し、最も影響の大きいものから最も影響の小さいものまで、各項目のランク付けを始めます。

④各リストから上位の項目を選び出し、まわりの環境からそれを取り除くためにやるべきことについて行動計画を立てます。扱いやすく、余分なストレスを抱えずに（この作業の目的に反するため）取り除けるものだけを選びます。小さなことから始めて、その変化に慣れて効果を確認できたら、他のものに取り掛かるようにしましょう。

考えない環境づくりのためのフレームワーク

①リラックスした心穏やかで何も考えていない状態になるのに役立つことをすべて書き出します。たとえば、運動や瞑想、特定ジャンルの音楽を聴くこと、特定の場所へ行くことなどが挙げられるでしょう。

②リストアップした項目をカテゴリー別に整理します。

A. カテゴリーの例

I. 身体的健康

身体にとり込んだときに、健康になったと感じ、持続的に活力が湧き、心穏やかになれるものは何ですか?

II. 物理的環境

まわりの物理的環境の中で、神聖な自分とつながっていると感じるのに役立つものは何ですか?

Ⅲ．デジタル環境

スマートフォンやコンピューター、テレビのどのようなアプリやプログラムが神聖な自分とつながっていると感じるのに役立ちますか？

Ⅳ．デジタル消費

どのようなメディアやコンテンツを消費すると、最高の自分とつながっていると感じられますか？

③ 各カテゴリーの項目を、何も考えない無思考の状態に入ってそれを維持するのに役立つという点で、最も影響の大きいものから最も影響の小さいものまでランク付けをします。

④ 各リストから上位の項目を選び出し、それを生活に組み込むための行動計画を立てます。手に負えなくなるおそれがあるため、一度にたくさんのことをやろうとしないでください。今できそうなことだけを選び、それに慣れたら後で追加するようにしましょう。

⑤何も考えない無思考の状態に入るのを助け、最高の自分とつながるのに役立つ朝一番の習慣、つまり朝のルーティンをつくります。すぐに実行できる理想的な朝のルーティンづくりをしましょう。小さなことから始めて、無理をしないようにします。自分の中に余白をつくる時間を必ず確保してください（瞑想、ヨガといった「無限の知性」とつながるのに役立つ精神修行など）。

⑥ 一日の始め方がその一日の過ごし方を左右します。スマートフォンやメール、やるべきことのチェックから一日を始めると、ストレスに満ちた闘争・逃走の思考モードに入り、一日中その状態が続くことになります。

⑦ 心穏やかに一日を始め、何も考えない状態になるルーティンを実行すれば、その勢いが一日中持続して、あなたを思考やストレス状態に引き戻す外的な物事にとらわれにくくなります。偉大なリーダーが皆、何らかの朝の習慣やルーティンを持つ理由はここにあります。

無思考を仕事に取り入れるためのフレームワーク

①今の仕事の中でエネルギーを消耗する作業——好んでやりたくないことや、全般的に気が重くなるようなこと——をリストアップします。

②今の仕事の中でエネルギーを与えてくれる作業——インスピレーションや元気、活力が湧き、気持ちが軽くなるようなこと——をリストアップします。

③リスト全体を見直して、各作業を10段階で評価します。最もエネルギーを消耗する作業を1、最も活力やインスピレーションが湧く作業を10とします。

④毎週、エネルギーを消耗する作業リストのうち1～3評価の作業を取り除き、エネルギーを与えてくれる作業リストの9～10評価の作業に費やす時間を増やしていきます。

⑤作業時間の80%を9〜10評価の作業に費やす段階まで到達することが目標です。

ネガティブな習慣や行動をやめるための手引き

余白を増やして考えないようにし始めると、苦しみをもたらしがちなネガティブな習慣がたくさんあることに、すぐに気づくでしょう。それでもまったく問題ありません。そのことで自分を責めないでください。責めても事態を悪化させるだけです。ではここで、ネガティブな習慣を断つための詳細な手順を示します。

①自分が変えたい行動を認識し、それが心から変えたいものであることを確認します。変化を起こして苦しみの悪循環を止めたいのであれば、自分が持ち続けている苦しみを生み出している考え方を変えて、手放さなければならないことを理解しましょう。その考え方を変えたくなければ、この先へ進む意味はありませんですが、もし変えたいのであれば、手放すプロセスを始めます。

②その行動によって何が起きているか（何回起きているか、いつ起きているかなど）を正確かつ詳細に書き出します。細部まで省かずに書きましょう。

③その行動を始める直前に何を感じていますか？　その行動を起こすきっかけとなっているのはどんな感情ですか？　自分に正直になりましょう。

④どのような思考パターンが生じていますか？　それが起きている瞬間、自分に何と言い聞かせていますか？　細部まで正確に書き出しましょう。

⑤この習慣についてどのような考え方を持っていますか？　どのような結論を出して、この行動をとらざるを得ないと感じたのですか？

⑥その考え方を信じているとき、どのように感じていますか？

⑦その行動をとらなければ、何が起こると思いますか？　言い換えると、その行動を起こさなければ、どのような結果が生じると思いますか？

⑧あなたがその行動をとらなければそれが起こるというのは、絶対に100%真実ですか？

⑨この考え方がどれほどネガティブか、どれほどあなたを苦しめているかわかりますか？

⑩今すぐこの考え方と行動を手放す気はありますか？

⑪あなたの内なる知恵と最高の自分に尋ねてみましょう。それはあなたに何を伝えようとしていますか？　それはあなたの学びを助けようとしていますか？　あなたの人生にどうやってバランスを取り戻すよう伝えていますか？　今からどのように成長するよう告げていますか？　余白をつくって、あなたが実際に変わりたい理由について「無限の知性」から知見を授かるのを待ちましょう。

⑫知見を得たら、自由や安らぎ、喜びを存分に味わいましょう。肩の荷が下りるのを感じてください。身体も気持ちも軽くなって、その行動や習慣が以前と同じように見えなくなっていれば、うまくいった証拠です。深い感謝の気持ちに浸って、ただあるがままに身を任せましょう。

⑬あなたの人生に起きた奇跡を記録に残せるよう、得られた知見を書き留めて、体験したことを日記に記しましょう。

その行動のきっかけとなる感情が再び戻ってきた場合の対処法

あなたの人生の見方を完全に変える知見や突破口が得られるまで、この手引きの手順を繰り返してください。

購入特典

書き込みのできる「無思考を仕事に取り入れるためのフレームワーク」および「ネガティブな習慣や行動をやめるための手引き」をお届けします。下の二次元コードからダウンロードしてください。

＼　特典ページ URL　／

https://d21.co.jp/special/thinkless/

ユーザー名 ▶ discover3009

パスワード ▶ thinkless

考えすぎない練習

発行日　2024年1月26日　第1刷
2024年9月20日　第5刷

Author　ジョセフ・グエン
Translator　矢島麻里子（翻訳協力：株式会社トランネット www.trannet.co.jp）
Book Designer　カバーデザイン　西垂水敦、内田裕乃（krran）
本文デザイン　小林祐司

Publication　株式会社ディスカヴァー・トゥエンティワン
〒102-0093　東京都千代田区平河町2-16-1 平河町森タワー11F
TEL　03-3237-8321（代表）03-3237-8345（営業）／FAX　03-3237-8323
https://d21.co.jp/

Publisher　谷口奈緒美
Editor　榎本明日香

Distribution Company
飯田智樹　蛯原昇　古矢薫　佐藤昌幸　青木翔平　磯部隆　井筒浩　北野風生　副島杏南　廣内悠理
松ノ下直輝　三輪真也　八木眸　山田諭志　鈴木雄大　高原未来子　小山怜那　千葉潤子　町田加奈子

Online Store & Rights Company
庄司知世　杉田彰子　阿知波淳平　大﨑双葉　近江花渚　滝口景太郎　田山礼真　徳間凜太郎　古川菜津子
藤井多穂子　厚見アレックス太郎　金野美穂　陳玟萱　松浦麻恵

Product Management Company
大山聡子　大竹朝子　藤田浩芳　三谷祐一　千葉正幸　中島俊平　伊東佑真　榎本明日香　大田原恵美
小石亜季　舘瑞恵　西川なつか　野﨑竜海　野中保奈美　野村美空　橋本莉奈　林秀樹　原典宏　牧野類
村尾純司　元木優子　安永姫菜　浅野目七重　神日登美　小林亜由美　波塚みなみ　林佳菜

Digital Solution & Production Company
大星多聞　小野航平　馮東平　森谷真一　宇賀神実　津野主揮　林秀規　斎藤悠人　福田章平

Headquarters
川島理　小関勝則　田中亜紀　山中麻吏　井上竜之介　奥田千晶　小田木もも　佐藤淳基　福永友紀
俵敬子　池田望　石橋佐知子　伊藤香　伊藤由美　鈴木洋子　藤井かおり　丸山香織

Proofreader　株式会社鷗来堂
DTP　株式会社 RUHIA
Printing　共同印刷株式会社

ISBN978-4-7993-3009-8
Don't Believe Everything You Think: Why Your Thinking Is the Beginning & End of Suffering by Joseph Nguyen